626 998 9690

Manual de comunicación asertiva

Técnicas fáciles y exitosas para ganar confianza y el respeto que mereces. Mejora tus habilidades comunicativas y siente el poder de expresar tus ideas sin miedo

Gerard Shaw

Regalo Gratis

Este libro incluye un folleto extra. Su descarga estará disponible por tiempo limitado. La información para asegurar la obtención de este regalo puede encontrarse al final de este libro.

ÍNDICE

PRÓLOGO

Tú quieres mejores cosas en la vida. Quizás un mejor salario, un estatus social más alto o que las personas a tu alrededor te respeten más. Quieres que hoy sea mejor que ayer, y que mañana lo sea incluso más. Y te lo mereces. ¡En serio!

No solo porque lo hayas estado soñando por tanto tiempo sino porque has estado trabajando para lograrlo. Pero, aun así, de alguna manera no lo consigues. Te preguntas, entonces qué es lo que te está haciendo falta. ¿O si será que tienes mala suerte?

¿Mala suerte? Las personas diligentes crean su propio destino y tú no eres la excepción. Eres una persona amable e íntegra, muy auténtica y agradable.

Entonces, ¿por qué no obtienes lo que te mereces?

Puede ser que seas demasiado generoso y tu generosidad esté perjudicándote. O tal vez nunca pidas lo que quieres en realidad, o no tengas ni idea de cómo pedirlo. Todo esto puede que esté impidiéndote que logres lo que deseas, y que obtengas lo que te mereces.

Sin embargo, ¡no significa que no puedas obtenerlo ahora! Sí que puedes, y es posible hacerlo sin que pierdas tu identidad, generosidad o amor propio.

Sólo necesitas averiguar cuál es la manera más efectiva de comunicarte y expresar lo que quieres en tus relaciones, el trabajo, con la familia, tus amigos, y la vida. ¿Te parece complicado?

En este libro encontrarás un modelo de estilo comunicativo que te equipará con las destrezas necesarias para expresar, pedir y recibir lo que quieres en la vida. ¿Sabes cuál es la mejor parte?

Que las lecciones en este libro son prácticas y se adaptan a tu vida cotidiana. Verás que te será sencillo identificarte con las situaciones y aplicar el conocimiento que aprenderás en tu día a día.

He estado estudiando diferentes técnicas de comunicación, y eligiendo algunas que harán que cualquiera sea un triunfador en la vida. Sin embargo, el estilo de comunicación asertiva siempre ha sido el más sobresaliente. Lo he estado poniendo en práctica a diario para lograr mejorar en cada faceta de mi vida: el trabajo, las relaciones, la familia, los amigos y mi desarrollo personal.

Para serte sincero, desde que empecé a ser más consciente de comunicarme de una forma asertiva, me siento más fuerte en cada una de estas facetas que te he mencionado. Me siento con la capacidad de tener más control sobre mi vida.

¡Y ahora quiero que experimentes lo mismo! Quiero que te sientas fuerte y capaz de enfrentarte a las situaciones, que tengas el control de tu vida.

Al leer este libro te embarcarás a un viaje único en el que descubrirás un nuevo yo. Trabajarás con tus fortalezas en lugar de lamentarte por tus debilidades. Cambiará por completo tu perspectiva sobre lo que puedes hacer para alcanzar eso que has estado deseando.

Te dará una visión balanceada de tu vida, y de los sólidos cimientos del saber-hacer, así como de las técnicas básicas para lograr lo que quieres en la vida, todo esto a través de una comunicación y comportamiento asertivos. Te guiará en la comprensión de la asertividad en el contexto correcto, te enseñará las destrezas adecuadas para tu vida personal, y conocerás algunas otras técnicas viables para el desarrollo de una comunicación asertiva que te llevará a vivir un estilo de vida empoderado.

Desde mi experiencia como coach de comunicación, si me preguntaras por ese algo en particular que hará que vivas una vida más plena y feliz, siempre te diré que descubras el poder que tiene el estilo de la comunicación asertiva, en la expresión de tus deseos y necesidades. A las personas que quieren aprender sobre destrezas efectivas de comunicación, siempre les recomiendo este estilo.

Solo imagina a esas personas que obtuvieron un aumento de sueldo o ascenso, después de poner en práctica las técnicas que aprendieron con este libro. O piensa en la pareja que puede atribuirle su éxito marital al estilo de comunicación que aprendieron aquí. Estas son solo algunas de las historias de éxito que he escuchado. ¿Cuál será tu historia de éxito después de que leas este libro? Imagínala- y compártela conmigo. La espero con ansias.

Te prometo que cualquier cosa que imagines, pronto se volverá una realidad si sigues este modelo. En este camino ganarás conocimiento, sabiduría, y tendrás la capacidad de hacerte más fuerte. No estoy refiriéndome a una fuerza física, sino a la poderosa fuerza interior de la asertividad. Esta, quizás, podría ser la única fuerza que te falte para tener la vida que deseas.

En las lecciones que aprenderás en este camino, encontrarás las técnicas para que mires hacia dentro, descubras tus fortalezas y te empoderes. Te enseñarán a valerte de la asertividad para alcanzar tus metas, ya sea en las relaciones, los negocios, tu carrera profesional o tu vida cotidiana.

La pregunta del millón es: ¿por qué deberías aprender el estilo asertivo de comunicación? Encontrarás que la respuesta está en todas esas situaciones de la vida en las que te has sentido atascado o, en aquellas donde podrías atascarte pronto si no aprendes estas técnicas ya.

Puedes estar sintiéndote frustrado por el trabajo, tu salud, las relaciones o la seguridad financiera – esto ya es suficiente para que te preguntes qué ocurre.

Si de verdad deseas ir hacia delante y quieres dejar de sentirte atascado en la vida, necesitas tomar medidas hoy mismo. En el fondo, ya tú sabes que necesitas cambiar algo, y que ese cambio debe ocurrir ahora.

Ya es hora de que dejes de ser la víctima de tus circunstancias. Es tiempo de ser el dueño de tu propio destino. Si no sucede ahora probablemente no ocurrirá después, así que prepárate para hacerte responsable de tu vida. Alza la voz, ponte de pie y da el primer paso. Aprende cómo hacerlo.

Sé que esta no es la primera vez que te das cuenta de que necesitas un cambio. Ya te ha pasado antes. Pero algo te detenía. O no encontraste las técnicas adecuadas para el cambio, o no tenías el coraje para hacerlo. No te preocupes. Este libro te proveerá de las destrezas que necesitas para cambiar tu vida. Serán destrezas que funcionarán a tu favor, en lugar de hacer que otros se aprovechen de ti.

Todo cambio, incluso el más pequeño, parece ser difícil al principio. Esto se debe a que somos criaturas de hábitos y nos gusta mantenernos en nuestras zonas de confort. Es posible que no estemos satisfechos con dónde estamos, pero aún no hayamos reunido el valor para hacer el cambio.

Sea como sea, encontremos esa valentía para que puedas dar el primer paso hacia el cambio. Si estás buscando una nueva y única forma de empezar de nuevo y tomar el control de tu vida, comienza aquí. Es el primer paso, es sencillo y lo vale.

Conoce lo que anhelas, di lo que quieras y obtén lo que desees. Puede que suene muy simple, pero es que así ES. Aprende "cómo hacerlo" aquí.

Este libro viene con un folleto GRATIS sobre cómo dominar una técnica excelente que mejorará tu tranquilidad y nivel de confianza en la vida diaria. Las instrucciones para descargar gratis este folleto, puedes encontrarlas en la última página.

CAPÍTULO UNO:

Asertividad en un mundo diverso

¿Qué esto de 'la asertividad'? Normalmente las personas perciben el ser asertivo, como ser alguien grosero, dominante o agresivo. Pero la realidad es diferente.

La asertividad es una habilidad social. Es una forma de comunicación en la que, clara y respetuosamente, expresas tus deseos, necesidades, posturas y límites a los demás. Ocurre independientemente de tu posición. No es que estés siendo egoísta o grosero, sino que simplemente eres firme y claro en tu comunicación.

Eres asertivo cuando defiendes tus derechos desde la calma y el positivismo, sin recurrir a la agresividad o a la necesidad de aceptar lo "erróneo".

La asertividad en la psicología: perspectiva cognitiva, social y de comportamiento

Una persona asertiva piensa, se comporta y habla diferente a los demás. Está tranquila, relajada y menos ansiosa aún ante situaciones estresantes. Y esto es normal. Si tienes en claro lo que quieres y sabes comunicarlo a los otros, la frustración y la ansiedad no se apoderarán de ti. No sentirás miedo en tus interacciones personales y fácilmente podrás alcanzar tus metas.

Por otro lado, las personas que carecen de destrezas asertivas son más neutrales y aprensivas. Les da miedo decir lo que piensan. ¿Qué pensará la gente de ellos? ¿Y si pierden su aprobación? Para no hacértelo largo, la gente no-asertiva depende de los demás y carece de control sobre sí misma.

Las personas asertivas, sin ser groseras, son firmes. Aprecian las opiniones, pensamientos y deseos de los demás, tanto como los propios. Sin caer en la agresividad, los gritos o la pasividad, siempre reaccionan de manera equilibrada a las reacciones positivas y negativas. Un comportamiento asertivo ha sido ligado también a menores niveles de estrés y depresión.

La asertividad hace que tus interacciones sean más transparentes. Las personas que son así, saben comunicar sus deseos y límites, no son demandantes ni se ponen furiosas cuando sus requerimientos no son atendidos.

Ellos, con seguridad, expresan a los otros su punto de vista, y además podrían influenciarlos para que vean las cosas desde su perspectiva. A pesar de eso, respetan las opiniones diferentes aún si difieren de la suya. Son muy abiertos a las críticas constructivas.

Si tomamos a la asertividad desde diferentes ángulos, ¿qué es lo que puedes concluir?

Está claro que se trata de que tengas el control sobre tu propio comportamiento, no del de los demás. Con una conducta asertiva puedes reconocer honestamente tus pensamientos y deseos. No estarás esperando que los otros cedan a tus exigencias.

Escuchas las opiniones y los sentimientos de otros, los respetas, pero, en última instancia, tú eres quien decide si estás de acuerdo con ellos o no. Incluso si decides estar de acuerdo, será tu decisión, una que no estará motivada por mero impulso o indefensión. No serás un buenazo complaciente si eres asertivo.

Sin embargo, todo gran concepto debe siempre tomarse con cautela y aquí también es el caso. Existe un nivel óptimo de asertividad, en especial cuando se es un líder. Ser muy poco o demasiado asertivo no conseguiría el efecto que deseas.

Ahora, exploraremos a fondo otros estilos de comunicación además del asertivo…

La asertividad en la comunicación: los cuatro estilos básicos

Si tuviera que clasificar a las personas, basándome en sus estilos de comunicación, las pondría en una de las siguientes categorías.

Comunicación pasiva

¿Qué piensas de estas afirmaciones?

"No conozco mis derechos."

"No puedo defender mis derechos."

"La gente nunca tiene en cuenta mis sentimientos."

Dejan ver a una personalidad débil, deprimida, puede que resentida. Una que no se pone de pie a defender sus propias necesidades y sentimientos. Esta incapacidad es la consecuencia de no identificar y expresar su punto de vista y necesidades.

¿Y qué es lo que sucede cuando no comunicas esas ideas o necesidades?

Sufrirás en silencio con todo ese enojo, dolor y resentimiento creciendo dentro de ti. Finalmente, terminará escapando en forma de estallido emocional no proporcional al incidente que lo detonó en primer lugar. Puede ser que te sientas avergonzado o culpable después del estallido, pero terminarás regresando a tu estilo pasivo de comunicación.

Los comunicadores pasivos rara vez hacen contacto visual mientras hablan y su cuerpo suele adoptar una postura encorvada.

¿Sabes cómo afecta a tu vida la comunicación pasiva?

La comunicación pasiva puede llevarte a:

- Ansiedad y pérdida de control sobre tu vida.
- Desesperanza y depresión.
- Estrés, resentimiento y confusión.
- Dejar que otros se aprovechen de ti o violen tus derechos.
- Baja autoestima y confianza.
- Mala toma de decisiones.

Comunicación agresiva

El polo opuesto del estilo pasivo, es la comunicación agresiva. Una persona agresiva expresa sus sentimientos y defiende sus necesidades de manera abusiva. Es dominante, impulsiva y se frustra con facilidad.

Humilla, critica, pisotea derechos, mira por encima del hombro y se comporta groseramente con los demás, no presta atención a sus sentimientos u opiniones. No solo se limita al ámbito verbal, sino que su lenguaje corporal suele ser autoritario y agresivo.

Entonces será más que natural que pensemos mal de dichos comunicadores que inspiran tanto miedo y odio en los demás y que, como resultado de su comportamiento, no cuentan con verdaderos amigos o un círculo social.

Escucharás a estos comunicadores agresivos diciendo cosas como "soy superior a ti y tengo razón" o "soy mucho mejor que tú" o "yo sé más que tú" o incluso "me saldré con la mía sin importar lo que pase".

Comunicación pasivo-agresiva

¿Has visto a personas murmurando entre dientes, quizás después de tener un encontronazo con alguien? Estas personas tienen dificultades para alzar la voz, para expresar sus opiniones en una charla frente a frente o confrontación directa. Te darán la impresión de que son pasivos, pero mostrarán enojo o agresividad de manera indirecta o sutil.

Ellos no tienen la capacidad de lidiar directamente con el objeto de su resentimiento. Así que aparentarán estar de acuerdo y dispuestos a cooperar, mientras que por debajo expresan su ira a través de burlas, juegos y sarcasmo.

Los efectos de la comunicación pasivo-agresiva pueden incluir:

- Sentirse aislados de los demás.
- Sentirse atascado y sin fuerza en la vida.
- Ser incapaz de abordar las cuestiones reales de la vida.

Comunicación asertiva

La comunicación asertiva es un estilo en el que expresas claramente tus sentimientos y opiniones, además de defender tus derechos sin violar los de los demás.

En otras palabras, no te lo guardas todo ni tienes estallidos emocionales ni tampoco te inventas cosas. Te valoras a ti mismo, a tu tiempo y a tus necesidades físicas, emocionales y espirituales, y haces lo mismo con las de los que te rodean.

Además de ser clara al comunicarse, una persona asertiva es también una buena oyente. Establece contacto visual cuando habla con otros, lo hace con un tono apacible, se siente conectada al otro y escucha sin interrumpir.

¿Quieres saber por qué es mi favorito?

Porque una persona asertiva:

- Se siente apta y en control de su vida.
- Puede abordar los problemas con confianza.
- Genera un ambiente de respeto en el que otros pueden crecer y madurar.
- Puede cuidar bien de sí misma, tanto física como mentalmente.
- Puede establecer relaciones verdaderas, sanas y duraderas.

Estas son algunas de las afirmaciones que he escuchado decir a comunicadores asertivos:

"Podemos comunicarnos con respeto."

"Soy cien por ciento responsable de mi felicidad."

"Siempre tengo opciones en la vida."

"Respeto tus sentimientos y derechos."

El punto aquí, es que recuerdes que no siempre solemos utilizar un único estilo de comunicación en nuestras interacciones. Dado que es más probable que el estilo de comunicación asertiva te lleve a tener relaciones respetuosas y duraderas, debería ser tu elección favorita la mayoría del tiempo.

Pero a veces la situación puede requerirte un estilo pasivo o agresivo. Por ejemplo, el estilo pasivo sería una opción más segura si parece que la situación puede ponerse violenta. De igual manera, si tu seguridad se ve amenazada, la comunicación agresiva evitará que la situación empeore.

Por tal motivo, de acuerdo a tu criterio deberás de elegir cuál es estilo de comunicación que mejor se ajusta a la situación. O sea, si crees que ellos entenderán mejor tu opinión si usas otro diferente al asertivo, adelante.

Cuando usas con frecuencia uno de los estilos, se incorpora a tu personalidad. Te vuelves una persona pasiva, agresiva o asertiva.

¿Cómo podemos identificar mejor estas personalidades? Veamos algunas de sus características.

Características de una persona agresiva, pasiva y asertiva. ¿Con cuál te identificas?

Cada tipo de personalidad tiene rasgos que la diferencian de las otras. Te daré un resumen de las características personales de los individuos agresivos, pasivos y asertivos. ¿En cuál encajas?

Rasgos de una persona agresiva:

- Pone sus necesidades por encima de las de los demás. Quiere que sus deseos se cumplan de inmediato.
- Interrumpe y no deja hablar a los otros.
- No controla sus emociones.
- Culpa a las otras personas por sus fracasos.
- Critica, humilla, y habla mal de otros.
- Piensa que la mejor defensa es contar con una ofensiva fuerte.
- Siente que hablar de manera tranquila y amistosa es un signo de debilidad que hará que se aprovechen de ella. Piensa que es necesario ser fuerte y ruidoso para ganar.

Rasgos de una persona pasiva:

- Malhumorada.
- Retraída.
- No hace contacto visual.
- No dice lo que piensa por miedo a hacer enemigos.
- Es sumisa porque detesta los enfrentamientos.
- Es conciliadora porque quiere ganarse la aprobación de la gente.

Rasgos de una persona asertiva:

- Tranquila, serena y segura en diferentes situaciones.
- Habla con claridad. No exagera su mensaje.
- Se mantiene bajo control.
- Sabe modularse cuando es necesario.

En resumen, las tres Ces de la persona asertiva son: Confianza, Claridad y Control. Pero, ¿qué beneficios le trae esto a su vida?

¿Por qué es importante ser asertivo?

Pronto tendrás la respuesta. La asertividad te otorga muchos beneficios en tu vida personal y profesional.

La asertividad en tu vida personal te ayuda a:

1. Ser tu propio dueño. Llueva o truene, eres fiel a ti mismo y no permites que nadie pase por encima de ti.
2. Hacer lo que tú quieras, sin que seas grosero y te pelees. Es todo lo contrario a la agresividad, que busca someter a los demás.
3. Un mejor manejo del estrés, por la claridad de las interacciones. Tú decides qué aceptarás y cuándo dirás "no", por lo que terminas estableciendo límites firmes para ti y para las otras personas.
4. Mejorar tu autoestima y confianza. Solo alguien asertivo cuenta con la seguridad para hablar por sí mismo.
5. Incrementar tus habilidades para la toma de decisiones. Las personas pasivas y agresivas toman decisiones basándose en las emociones. Por el contrario, los asertivos suelen tener una postura más neutral, mantienen a raya sus emociones y basan sus decisiones en hechos.

La asertividad en tu lugar de trabajo es fundamental para:

1. Tener relaciones sanas y duraderas con tus colegas. Cuando las interacciones son claras y transparentes en el lugar de trabajo, y te diriges a todos con educación, las relaciones están destinadas a la armonía.
2. Mejorar la productividad de tu equipo. Imagina a un líder que es agresivo y dominante con sus compañeros de equipo. ¿Cómo te sentirías tú si formaras parte de su planilla? Sentirías odio y resentimiento, ¿cierto? Pero, ¿y si él fuera asertivo? ¿Si

    apreciara tus opiniones y sugerencias? Todo cambiaría. Te encantaría trabajar a su lado y el rendimiento del equipo se elevaría.

3. Tener mejores habilidades de negociación. Nunca te conformarás con menos y estarás listo para modularte cuando sea necesario.

4. Un entorno de trabajo pacífico y favorable en el que cada persona, sus sentimientos y opiniones son respetados. Esto crea un ambiente seguro y permite que haya espacio para las nuevas formas de pensar.

5. Alcanzar tus metas profesionales. Con todos estos resultados positivos sucediendo en el lugar de trabajo, ¡lograrás hacerlo!

Asertividad en las relaciones.

El éxito de las relaciones radica en la honestidad, la claridad y el respeto mutuo. Una persona asertiva será muy versada en estas conductas, lo que la llevará a relaciones satisfactorias.

Es fácil darse cuenta de lo importante que es una conducta asertiva en la vida personal, el trabajo y las relaciones.

Antes de que continuemos con las técnicas que te volverán más asertivo en tu vida, es tiempo de que te hagas un autodiagnóstico.

Cuadro de autoevaluación de la asertividad

Hay dos aspectos básicos para ser asertivo:

1. Expresar tus deseos, necesidades y pensamientos, aunque sea difícil.

2. Respetar lo que otros quieren, necesitan y piensan, aunque sea difícil.

Mediremos tu proficiencia en estos dos aspectos con el siguiente Cuestionario de Asertividad, y determinaremos qué nivel de asertividad tienes en tu día a día.

Cuestionario de Asertividad.

Escoge la respuesta que mejor te describa. El rango de respuestas irá desde el número 1 (No soy yo) hasta el número 5 (Soy yo).

¡Sé honesto! Usaré el resultado para ayudarte a aprender sobre conductas asertivas en tu trabajo y relaciones. No existe una respuesta correcta o incorrecta, solo califícate en la escala del 1 al 5.

Claves: 1 significa raramente; 2 significa a veces; 3 significa normalmente; 4 significa con frecuencia ; 5 significa siempre.

	No soy yo →→→→→ Soy yo				
Preguntas→	**1**	**2**	**3**	**4**	**5**
1. Protesto si las personas están haciendo algo con lo que no me siento cómodo.					
2. Me defiendo cuando alguien no respeta mis límites, por ejemplo: "No serme infiel" o "no dejo que mis amigos me pidan dinero prestado".					
3. Con frecuencia me resulta complicado decir "no".					
4. Expreso mis opiniones aún si los demás no están de acuerdo con ellas.					
5. Después de una discusión, con frecuencia me encuentro deseando que ojalá hubiera dicho lo que pensaba.					
6. En lugar de dar mi opinión, suelo estar de acuerdo con lo que mis amigos o colegas quieren, y lo acepto.					
7. En ocasiones tengo miedo de hacer preguntas, pues no quiero parecer tonto.					

8. Me guardo mis sentimientos en lugar de hablar sobre ellos.	
9. Si estoy en desacuerdo con mi jefe, lo hablo con él/ella.	
10. Si le presté dinero a una persona y ha excedido el plazo para devolvérmelo, hablo con la persona al respecto.	
11. Normalmente soy capaz de decirle a las personas cómo me siento.	
12. Si no me gusta la forma en la que alguien es tratado, abordo el asunto.	
13. Digo lo que pienso sobre las cosas que verdaderamente me importan.	
14. Soy cuidadoso de no lastimar los sentimientos de los demás, aún si se han portado mal conmigo.	
15. Tengo dificultades para controlar mis emociones cuando no estoy de acuerdo con alguien.	
16. Evito atacar la inteligencia de los demás cuando no estoy de acuerdo con sus ideas.	
17. Escucho las opiniones de los otros, aun cuando no esté de acuerdo con ellos.	
18. Cuando surge algún desacuerdo, procuro entender el punto de vista de la otra persona.	
19. Durante el diálogo, con mi lenguaje corporal les hago saber que los estoy escuchando.	
20. Aún en una discusión, no interrumpo a la otra persona.	

Cómo interpretar los resultados.

Después de completar el cuestionario, estarás tentado a sumar tus números. Sin embargo, dicha sumatoria no tendrá ningún significado pues la asertividad se mide de acuerdo a la persona y la situación.

Para analizar tus respuestas al Cuestionario de Asertividad, sigue estos pasos:

1. Examina tus respuestas a las preguntas 1, 2, 4, 9, 10, 11, 12, 13, 14, 16, 17, 18, 19, y 20. Estas están orientadas hacia una conducta asertiva. ¿Tus respuestas a estas preguntas reflejan que siempre hablas por ti y por los demás?
2. Mira tus respuestas a las preguntas 3, 5, 6, 7, y 8, pues están orientadas hacia una conducta pasiva. ¿Tus respuestas reflejan que eres más sumiso y dejas que los demás te controlen?
3. Estudia tu respuesta a la pregunta 15, porque puede sugerir que te fuerzas a las personas más de lo que te imaginas.

Resumen del capítulo.

- Existen cuatro estilos de comunicación – pasiva, agresiva, pasivo-agresiva y asertiva. La asertiva es el modelo de comunicación más importante y provechoso. Recuerda los beneficios que traerá a tu vida personal, profesional y social.
- Hay un nivel óptimo de asertividad. Demasiada o muy poca hará que pierdas efectividad.
- ¿Completaste el cuestionario para conocer tu estilo de comunicación? ¿Cuál es tu nivel de asertividad? ¿Es alto o bajo? ¿Por qué quieres aprender y mejorar tu asertividad?

Responde a estas preguntas antes de avanzar al siguiente capítulo.

En el próximo capítulo aprenderás:

- Por qué algunas personas no pueden ser asertivas.
- Los obstáculos más grandes en la práctica de la asertividad.

- Cómo te ves tú y cómo te ven los demás y, qué percepción es la que importa.
- Habilidades que construyen una autoimagen positiva.

CAPÍTULO DOS:

Autodescubrimiento. Recuperando el control de tu vida

Estoy seguro que algunos de ustedes obtuvieron un resultado más bajo de lo que hubieran querido en su autoevaluación de asertividad. ¡Está bien! Muchos de nosotros hemos sido criados para creer que la asertividad no tiene importancia. Aunque no fuera así, a menudo nos hace falta el valor para usarla.

¿Por qué? ¿Por qué algunos de nosotros no podemos ser asertivos? Después de todo, tenemos el derecho a expresar nuestros sentimientos, opiniones y creencias. Y pese a ello, no lo hacemos.

¿Quiénes somos, y por qué algunos de nosotros no somos asertivos?

Cada uno de nosotros posee derechos humanos básicos que deben ser respetados y ratificados. Estos incluyen:

- El derecho a expresar los sentimientos, opiniones, principios y creencias.
- El derecho a cambiar de opinión.
- El derecho a tomar decisiones por nosotros mismos.
- El derecho a negarte si hay algo que no sabes o entiendes.
- El derecho a decir "no" sin sentirte culpable.

- El derecho a no ser asertivo.
- El derecho a la libertad personal.
- El derecho a la privacidad.

Cuando respondes pasivamente, descuidas o ignoras los derechos de los demás, y permites que los vulneren. En contraste, un comportamiento agresivo abusa de dichos derechos. Ser asertivo es la mejor manera de asegurarte que se respetan los derechos de todos.

Pero el ejercicio de la asertividad no resulta sencillo para todos debido a las siguientes razones:

Baja confianza y autoestima.

Cuando no te valoras lo suficiente, te relacionas pasivamente con la gente porque crees que sus sentimientos y opiniones son más importantes que los tuyos.

En consecuencia, les otorgas a los demás la capacidad de hacerte sentir menos, por lo que pierdes tu confianza. Este círculo vicioso continúa reforzando esa baja autoestima y valía personal.

Trabajos de baja categoría y roles de género.

Los trabajos de perfil bajo (tales como cajeros, barrenderos, etc.) y las mujeres son relacionados, por lo general, con una conducta no-asertiva. Estas personas, con frecuencia, están sometidas a una gran presión que les exige pasividad. Imagínate a un empleado que tiene menos probabilidades de ser asertivo con su jefe, si se le compara con sus colegas o subordinados.

Experiencias pasadas.

Si tus padres, las personas que admirabas o las experiencias del pasado te moldearon para que no fueras asertivo, será difícil que cambies y comiences a serlo.

Estrés y ansiedad.

Cuando estás bajo estrés, a menudo sientes que pierdes el control de las situaciones en tu vida. Por lo regular el estrés y la ansiedad te llevan a que expreses tus pensamientos de una forma pasiva o agresiva, y esto incrementa tu estrés y el de aquellos que te rodean.

Rasgos de carácter.

Algunas personas nacen con ciertos rasgos de carácter que son más pasivos o agresivos, y no hay mucho que puedan hacer para cambiarlos. Sin embargo, cualquiera puede aprender a ser más asertivo mientras conserva esa personalidad con la que nació.

Desconocimiento de los derechos o deseos.

Si no sabes cuáles son tus derechos o qué es lo que quieres en primer lugar, definitivamente te resultará difícil ser asertivo.

¿Sabes identificar qué es lo que está deteniéndote?

En la pasada sección te listé los obstáculos más comunes que impiden que la gente sea asertiva. ¿Puedes identificar cuál es el tuyo? Asimismo, existen algunas necesidades y comportamientos individuales que suponen una amenaza a la práctica de la asertividad.

Te daré algunos ejemplos de dichos comportamientos:

Ansias de ser amado a como dé lugar.

Todo humano quiere ser amado y querido. Pero en el lugar de trabajo, estas ansias pueden transformarse rápidamente en dependencia. En lugar de ejercer tus derechos y portarte asertivo, complaces a los demás para ganar su aprobación.

Ser amable con todos.

Ser amable es bueno, pero pasarte de la raya en amabilidad te deja susceptible a las opiniones de otros, y puede hacer que pierdas tu independencia. Además, la gente empezará a dar por hecho que siempre serás así.

Intolerancia a los desacuerdos.

No es sensato querer convencer a los demás de que acepten sí o sí tu opinión. Respeta su libertad y su derecho a no estar de acuerdo. Si no estás tan aferrado a tu opinión y dejas que los otros se expresen, estarás un paso adelante en el progreso personal.

Buscar tenerlo todo bajo control.

Los humanos somos seres poderosos y, a pesar de eso, no podemos controlar todo lo que sucede, mucho menos el comportamiento o pensamiento de otras personas. Si lo intentas, terminas siendo agresivo y enérgico.

Obsesión con el perfeccionismo.

Imagina a un jefe que lo quiere todo perfecto y no puede tolerar ni el más mínimo error por parte de sus empleados. Si es tan perfeccionista, ¿cómo crees que será el ambiente de trabajo?

Eso es lo que pasa cuando quieres que todo sea perfecto. Te portas agresivo, no asertivo. Como resultado, alejas a la gente de ti en lugar de establecer buenas relaciones con ellas.

Trabajar de más para gustarle a la gente.

Cuando trabajas de más para presumir o para gustarle a las personas, más que faltarles el respeto a tus propios límites, lo que haces es buscar la aprobación ajena.

Intolerancia al fracaso.

Si tú dices "no tengo el derecho a equivocarme", estás olvidando que es de humanos cometer errores. Alguien que nunca se haya equivocado, es porque no ha hecho nada en absoluto.

Ponerte metas contradictorias.

Al ponerte metas que contradigan tus principios y necesidades (personales y profesionales) o al hacerte cargo de responsabilidades con la esperanza de que no tendrás conflictos, estás preparándote para la decepción. Es más conveniente que te pongas metas realistas y pertinentes, y planees los pasos que te llevarán hasta allí.

Después de analizar estos obstáculos para el ejercicio de la asertividad, una cosa es bien clara. Todos ellos giran en torno a lo que otros pensarán de ti. Tienes miedo a perder su aprobación o aprecio, o tienes miedo a que puedan pensar que eres incompetente y por eso quieres controlarlos.

¿Estás juzgando correctamente lo que otros piensan sobre ti? Averigüémoslo en la siguiente sección.

Metapercepción – cómo te percibes a ti mismo y cómo te perciben otros

Si tú dices "no me importa lo que piensen de mí", te estás engañando a ti mismo. Porque a fin de cuentas, somos humanos y todos queremos encajar en nuestro medio social. Ese sentimiento de ser rechazado por el grupo nos deja ansiosos, irritables y deprimidos.

Para encajar socialmente es necesario que conectemos con otros. Que estemos al corriente de lo que otros piensan de nosotros. El que modifiquemos nuestros comportamiento con base en todo lo anterior, ciertamente beneficia a que formemos buenas conexiones sociales.

23

Percibir y conocer la opinión que los demás tienen de ti, se conoce como "metapercepción". En otras palabras, las metapercepciones son: cómo te sientes al respecto de cómo los demás se sienten sobre ti. Con frecuencia, estas metapercepciones giran en torno a nuestra propia percepción – o sea, nuestra opinión sobre nosotros.

Mark Leary, un profesor de psicología de la Universidad Wake Forest en Carolina del Norte, dice: "A través de tu autopercepción, filtras los indicadores que recibes de otros." Esta autopercepción es moldeada principalmente por tu madre. La manera en la que tu madre respondió a tus primeros llantos y ademanes influye en cómo quieres ser visto por otros. Los niños de madres indiferentes se comportan de maneras que hacen que la gente quiera alejarse de ellos, mientras que aquellos con madres receptivas, tienen más confianza y se relacionan mejor con sus pares.

Aunque estos autoconceptos formados en la infancia no siempre continúan vigentes en la adultez, si aún lo están es difícil cambiarlos, especialmente cuando son negativos. William Swann, profesor de psicología de la Universidad de Texas, llevó a cabo una investigación que muestra que las personas con una autopercepción negativa buscan que los demás piensen de ellos de manera negativa, y lo hacen con más ahínco si sospechan que los otros los encuentran agradables.

Todos ustedes tienen una visión relativamente estable de sí mismos, pero no siempre es fácil saber qué piensan los demás. Por consiguiente, a menudo las metapercepciones no son fidedignas. ¿Por qué?

Primero, porque cada persona que conozcas te verá a través de su lente único. Por ejemplo, si por lo general una persona critica a todo mundo, ten por seguro que aunque tú seas auténtico, hará lo mismo contigo. Segundo, las personas a veces no son francas en sus interacciones diarias, y podrían estar fingiendo.

Sin embargo, llevando a cabo los próximos pasos puedes lograr que tus metapercepciones sean más certeras:

1. Ten curiosidad de aprender cosas nuevas, y sé abierto a nuevas experiencias de vida. A medida que asumas nuevos desafíos,

conocerás personas de las que podrás obtener información clara acerca de cómo eres percibido.

2. Sé cuidadoso con cómo te presentas a otros. Sé consciente de tu voz, tono, ropa y lenguaje corporal. Esto ayudará a que monitorees la impresión que das, y volverá más precisa a tu autopercepción.

3. Aprende a controlar tus emociones y así llevarás ventaja en saber lo que los demás piensan de ti. Si tus sentimientos te desbordan o no puedes expresarlos bien, se vuelve complicado que interpretes cómo se sienten otros respecto a ti.

4. Por otro lado, un comportamiento quisquilloso y hostil, el ponerse a llorar ante la menor provocación y, el narcisismo, impiden las metapercepciones precisas. Estas conductas estimulan que los demás se vuelvan cautelosos y que incluso puedan llegar a mentirte.

5. Si sufres de ansiedad social, no podrás obtener una metapercepción precisa porque no preguntarás a los demás sobre sí mismos, y no lograrás que se sientan cómodos interactuando contigo.

Entonces, las metapercepciones fidedignas son fundamentales porque te ilustran acerca de cómo eres percibido y te ayudan a que todo lo social vaya mejor.

Los otros juzgan de acuerdo a dos tipos de rasgos —los visibles y los no evidentes. Las personas notan más a tus rasgos visibles, que a ti como persona. En una escala numérica de atractivo físico, casi siempre serás puntuado con un punto extra al número que tú te hubieras puesto.

Hablando de los rasgos "no evidentes", no es que sean imperceptibles —al menos no es así para tus amigos cercanos. Ellos pueden saber fácilmente cuando estás preocupado o ansioso. Tus rasgos negativos puede que sean "invisibles" para la mayoría, pero no lo serán para alguien que te conozca muy bien.

Pero nadie quiere que los demás vean sus rasgos negativos. Ni siquiera los reconocemos a pesar de que estamos al corriente de ellos, y solemos modificar nuestro comportamiento para que no se noten.

Es aquí donde el autoconocimiento te juega una mala pasada y te quedas atascado en tus rasgos negativos y con quién eres. Es otra realidad en la que el autoconocimiento actúa como una maldición en la que sobreanalizas y malinterpretas las reacciones que los otros tienen hacia ti.

Las emociones desagradables como la vergüenza, la deshonra y la envidia, se sienten también a través de este autoconocimiento. Estas emociones están pensadas para darnos ese empujón que nos motivará a querer abandonar esos comportamientos potencialmente autodestructivos. Por desgracia, cuando te importa demasiado qué es lo que piensan los demás de ti, ahogas tu espíritu y coartas tu conducta.

¿De verdad quieres saber cómo te ve la gente?

Los informes y revisiones anuales pueden brindar un seguimiento de tu desempeño en la escuela y el trabajo. Pero que alguien te haga una crítica directa y sin rodeos sobre tu carácter es complicado, a menos que suceda en medio de una discusión acalorada.

Siempre puedes pedirle una opinión sincera sobre ti a un miembro de tu familia o a un amigo cercano. Pero aquí el meollo del asunto es este: ¿estás listo para escucharla?

Todos queremos escuchar cosas buenas de nosotros. No podemos tolerar que se diga nada malo porque nos hiere el ego y lastima nuestra autoimagen. Podría ocurrir que nos peleemos con nuestro ser querido con tal de salvaguardar nuestras perspectivas.

Con todo, se vuelve necesario en ocasiones el contar con una buena retroalimentación. Por ejemplo, cuando te estás decidiendo por un nuevo trabajo o una petición de matrimonio. En estos casos es cuando se necesita aprender a ver las cosas desde una perspectiva diferente.

¡Según como se vea! La importancia de ver las cosas desde otra perspectiva.

Dependiendo de en dónde te sitúes, tu habitación puede verse muy diferente. Si tú quedas en un lado y tu pareja en el opuesto, los dos describirán la misma habitación, pero las descripciones serán diferentes por el simple hecho de que los dos ven las cosas desde ángulos distintos.

En los asuntos subjetivos ocurre lo mismo, las perspectivas pueden variar. El mismo hecho tendrá significados diferentes pues las personas tienen su propio punto de vista. Solo fíjate en el hecho de que un solo caso de divorcio tiene dos querellantes y dos abogados defensores. Y a veces puede suceder que dos opiniones diferentes, son válidas.

El conflicto surge cuando no consigues entender las otras perspectivas. Dado que no puedes entender su punto de vista, lo que para otra persona tiene sentido, para ti es un completo absurdo. No puedes aceptar estas otras perspectivas si discrepan de las tuyas.

¿Por qué es así? ¡Te sorprenderá saberlo!

La realidad es como son las cosas. Dadas las circunstancias, lo que cualquier persona piensa y siente, es su realidad. Los sentimientos y pensamientos motivan sus acciones.

Las investigaciones de la ciencia del comportamiento apuntan a que no vemos las cosas como realmente son. Las filtramos a través de nuestra autopercepción. Cómo nos afectan ciertas situaciones, sumado a nuestra personalidad, impacta de lleno en cómo percibimos todo. Interpretamos de acuerdo a lo que creemos es verdadero sobre nosotros, sobre los demás, y que además concuerda con experiencias previas. Todo esto conforma una perspectiva sobre uno mismo y los demás que, una vez formada, es difícil de cambiar. A esta tendencia humana se le conoce como sesgo de confirmación. Vemos lo que queremos ver y, por lo tanto, interpretamos la información recibida de una manera que confirme nuestra perspectiva existente.

Por eso es difícil que entendamos la perspectiva distinta del otro.

Entonces, aunque una decisión, un hecho o una afirmación sea la misma, tendrá un significado diferente para cada individuo o para el grupo. Y cada uno de nosotros sentiremos que tenemos la razón. Por desgracia así es como inician todos los malentendidos, desacuerdos y discusiones.

Surgirían menos conflictos y tendríamos más conversaciones fructíferas sobre los asuntos peliagudos, si tan SOLO pudiéramos ver las cosas desde la perspectiva del otro. Lo que es más, en las situaciones difíciles seríamos cuidadosos con nuestras palabras y acciones, y evitaríamos que el problema se hiciera más grande.

Por ejemplo, el tercer fracaso de Theresa May para cerrar su acuerdo de Brexit en la Cámara de los Comunes ha extendido el drama por más tiempo del que el pueblo británico esperaba.

En este tipo de asuntos, ¿crees poder ignorar un poco tu perspectiva para tratar de verlo desde otro ángulo?

El día que lo hagas, quizás te des cuenta de que tu perspectiva no era tan exacta, ni era la única "correcta". No es que sea mala o que no debas aferrarte a ella por buenas razones, sino que ahora entiendes mejor la que era diferente.

No confundas la perspectiva.

No obstante, debes tener cuidado cuando intentes ver las cosas desde otro punto de vista. Evita caer en estos dos errores.

Primeramente, no te confíes de que ya has tenido éxito en interpretar la diferencia. ¿De verdad lo has visto del modo en que él/ella quería? ¿Estás seguro de que no te estás confundiendo?

Las investigaciones muestran que cuando deduces los pensamientos y sentimientos de una persona, basándote en su cara o comportamiento, no estarás del todo en lo cierto.

Segundo, no te conformes con la perspectiva de la otra persona, ni bases tu argumento en ella. Que la entiendas no significa que no puedas cuestionarla educadamente. Si basas la perspectiva en suposiciones que son erróneas, no será raro que te encuentres sacando conclusiones engañosas y perdiendo de vista el asunto real.

Por ejemplo, en el caso del acuerdo de Brexit, alguien podría sospechar que el líder es corrupto e inadecuado. Si esta especulación fuera aceptada sin peros, los desacuerdos derivarían eventualmente en juicios erróneos que desviarán la atención del problema pertinente.

Abordar las perspectivas de la manera correcta.

Mientras tomas a consideración la perspectiva de otra persona, es importante que adquieras estos tres hábitos.

En primer lugar, estudia toda perspectiva que difiera de la tuya. Honestamente, incluye todas y cada una de ellas. Cuando las compares, puede que encuentres algunas similitudes. Puede que veas cómo se complementan las unas con las otras en sus puntos fuertes y débiles, y tal vez te formes una nueva y mejor perspectiva.

La inclusividad juega un papel importante en ocasiones en que los desacuerdos están basados en valores y principios sólidos. Si defiendes tu postura alentado por un principio o valor que es importante para ti, ¿no crees que los otros comparten la misma motivación? Ten en cuenta la importancia y la relevancia de los valores y principios que respaldan un punto de vista específico.

En segundo lugar, relaciónate con las personas. No puedes ni imaginarte por lo que está pasando la persona, a menos que tengan una conversación. Interactúa, haz preguntas y escucha sobre sus sentimientos, sus inquietudes y, por último, sus perspectivas. Si te involucras de esta manera, vuelves más probable que te expresen sus verdaderos sentimientos en lugar de decirte simplemente lo que quieres oír. Todo esto te lleva a un mejor entendimiento de los sentimientos, preocupaciones y situaciones de los demás. Conforme pase el tiempo, la calidad de estas interacciones abonarán el terreno para la confianza y la cooperación social.

Por último, procura lograr un balance entre tu individualidad y las perspectivas ajenas. Debes empatizar con ellas, emociones y subjetividad incluidas, pero ten cuidado de no dejarte llevar. Mantente ligeramente distante para que puedas evaluar de manera adecuada las situaciones y perspectivas. Este desapego no significa que te vuelvas más frío que el hielo, pero es necesario para resolver el asunto sin enredarse. Si hablamos en el término de las opiniones, el desapego implica que no necesariamente tienes por qué estar de acuerdo con ellos todo el tiempo, pero si que entiendes su perspectiva.

Si puedes ser más considerado, interactivo y desapegado a la hora de las discusiones y desacuerdos, muchas de las discrepancias desaparecerán. Surgirán nuevos caminos que los llevarán hacia metas en común.

Al aprender el uso y apreciación apropiados de las perspectivas ajenas, evitarás los malentendidos, posibilitarás conversaciones productivas y lograrás los objetivos en común.

Finalmente, veamos qué es lo importante: ¿cómo te percibes tú, o cómo te perciben los demás?

Si me has seguido hasta aquí, no te será difícil contestar eso. Es válido si se concluye que las dos poseen valor intrínseco. Ninguna puede ser dejada de lado por la otra. Sin embargo, deberías tomártelo todo con una mentalidad de desapego.

Si es que decides aceptar las perspectivas ajenas para mejorar tu autoimagen o crear una mejor versión de ti mismo, estas tendrán un impacto positivo en tu vida. En caso contrario, si te doblegas ante los puntos de vista de otros, tu propio carácter se verá disminuido.

Hablaré más sobre la construcción de una autoimagen positiva en la sección a continuación.

Construyendo una autoimagen positiva

La autoimagen está conformada por cómo te ves a ti mismo, por tus rasgos de personalidad, habilidades y lo que otros piensan sobre ti. Si reconoces tus fortalezas mientras eres realista respecto a tus carencias y te sientes bien contigo, entonces posees una autoimagen positiva. Por el contrario, si no estás a gusto contigo, te fijas únicamente en tus defectos y debilidades y exageras tus fracasos, cuentas con una autoimagen negativa.

Tú te juzgas de manera objetiva y subjetiva. Un juicio objetivo no se ve influenciado por sentimientos personales y representa características tales como tu altura, peso, color de cabello, cociente intelectual, etc. Los juicios subjetivos representan aspectos como el cuidado, afecto, cariño, generosidad, humor, paciencia, etc., y son influenciados por tus sentimientos personales. Dado que la autoimagen es una representación colectiva de tu auto-juicio, finalmente se vuelve más subjetiva que objetiva. Las personas, por lo general, son más críticas respecto a sí mismas y suelen enfatizar sus imperfecciones en vez de concentrarse en sus rasgos positivos.

La autoimagen de una persona es más o menos resistente al cambio, pero se ve afectada por las experiencias de vida y las interacciones con los demás. Las experiencias de vida, sean positivas o negativas, y las relaciones con los familiares, compañeros y amigos, juegan un papel significativo en este modelado de la autoimagen. Por ejemplo, si no logras completar una tarea y las personas a tu alrededor te critican y te rechazan, puede que desarrolles una autoimagen negativa. Antes bien, si tu familia y amigos te brindan su apoyo, reforzarán tus buenas cualidades y ayudarán a que desarrolles una autoimagen positiva.

Así como tus experiencias y relaciones impactan en tu autoimagen, también ocurre que tu autoimagen define tus experiencias y relaciones. Si tienes una buena autoimagen, por lo general proyectarás una actitud optimista. Cuando te diriges a los demás con esta actitud, la interacción será inspiradora y enriquecedora y contribuirá a que se forme una relación constructiva. Estas relaciones constructivas serán como alimento para tu autoimagen.

Tu autoimagen se liga estrechamente con la autoestima y la confianza. La autoestima dicta cuánto te valoras. La confianza es esa fe que tienes en tus conocimientos, buen juicio y habilidades. Una mala autoimagen provoca una baja autoestima y confianza. Entonces tener una buena autoimagen es fundamental pues incide directamente en tu pensamiento, comportamiento, y en cómo te relacionas con los que te rodean. Aumenta el bienestar físico, mental, emocional y espiritual, y te llena de confianza en tus relaciones. Incluso las personas a tu alrededor se ven beneficiadas por tu autoimagen positiva.

Pero la pregunta es: ¿cómo construyes una buena autoimagen?

Porque, al día de hoy, todos somos resultado de lo que los demás esperan de nosotros. A menudo perdemos la noción de quiénes somos "en realidad". Todos nos conocemos mejor que nadie. Sabemos lo que pensamos, sentimos, lo que nos gusta y disgusta, y aún así seguimos comparándonos. Esto refleja nuestra insatisfacción. Estamos insatisfechos y nos sentimos infelices y emocionalmente agotados porque nuestro yo verdadero se encuentra muy lejos.

Sigue estos pasos para descubrir a tu verdadero yo:

Haz lo que te apasione. Sé tú mismo al nutrir tu espíritu, mente y alma.

En los tiempos modernos, el dinero y la riqueza se han vuelto esos indicadores que miden el éxito de alguien. Por eso ves a jóvenes profesionales iniciándose en trabajos bien pagados, para que así otros se sientan orgullosos de ellos.

Posiblemente no disfruten del trabajo, pero lo prefieren porque ganan bien y hace que los respeten más. Fingen sentirse felices, pero puede que en realidad se sientan desesperanzados.

Lamentablemente, hoy en día las personas se valoran unas a otras en función de sus títulos y salarios. Se han vuelto esenciales para determinar la valía de uno. En lugar de todo eso, deberías concentrarte solamente en ser tú mismo pues así nutrirás tu mente, espíritu y alma. Cultiva tu pasión y encuentra un trabajo que disfrutes.

No dejes que tu niño interior muera.

¿Qué es eso que puedes aprender de los niños? ¡Su despreocupación!

A los niños no les importa lo que otros piensen de ellos porque están felices con sus vidas y con quiénes son. Se pertenecen a sí mismos porque no han sido moldeados para encajar en la sociedad y todas sus extrañas reglas. Disfrutan de correr, jugar y saltar dondequiera que se encuentren, y les importa un comino la opinión de los demás.

Sin embargo, cuando creces, te acomodas a las expectativas de otros y te desconectas de tu niño interior. Así que despabila de nuevo a ese niño y vuélvete libre divirtiéndote y disfrutando del momento.

Encuentra tus fortalezas interiores.

Acéptate a ti y a tu personalidad, sin que te importe lo diferente que puedas parecer del resto. Podrás ser un extrovertido espontáneo o un introvertido algo torpe. Sacúdete esas etiquetas que no son importantes. Tú eres lo que sientes y piensas. Deja de aparentar solo porque tienes ganas de encajar. Sé tú mismo e identifica tus puntos fuertes. Si las otras personas son auténticas, aceptarán a tu "verdadero" yo.

Sintonízate con tus sentimientos.

Reconoce tus sentimientos, sean buenos o malos. Cuando estás en contacto estrecho con ellos, entiendes más cosas sobre ti. Además, hacerlo de este modo te otorga la capacidad para lidiar sin estresarte con la tristeza, felicidad, miedo o ira, y te ayuda a que disfrutes de un estado mental de sosiego.

Sé más consciente de tus pensamientos.

No podríamos medir la cantidad de pensamientos negativos que cruzan por tu mente en un solo día. Después de cierto tiempo, estos pensamientos pueden empezar a volverse realidad porque es una ley de la naturaleza. Así que debes volverte consciente de tus pensamientos y de su calidad. La meditación regular te ayuda a volverte consciente y te otorga el poder de cambiarlos. Después, durante el día, continúa monitorizando tus pensamientos. Al estar consciente de lo que piensas, al hacer modificaciones cuando es necesario, te concentras mejor en tu presente.

Confía en tu intuición.

La intuición es una característica imprescindible con la que cuentas. Es recomendable que te dejes guiar por ella pues, al hacerlo, te acercas a tu yo más auténtico, a ese que es el más "real".

Podrás pensar que una decisión prudente es más factible y útil, pero esto no siempre es verdad. Las decisiones prudentes se toman de acuerdo a lo que se piensa que está bien, y no en lo que se siente que estará bien. Cuando tomas una decisión intuitiva, tu alma estará complacida.

Sal de tu cascarón.

Al ir aprendiendo a ser tú mismo, es posible que te sientas tentado de hacerlo todo de una vez. Querrás deshacerte de todas las caretas y pretensiones para volverte completamente auténtico de la noche a la mañana. Pero no funciona así. Primero necesitas identificar de qué maneras no estás siendo auténtico, socialmente hablando, para después corregirlas una a una. Sal poco a poco de tu cascarón. Ponte metas pequeñas y trabaja gradual y consistentemente para volverte genuino. Los pasos pequeños te llevarán a un gran cambio. Pronto estarás conquistando tus metas y notarás que tu comportamiento es muy diferente al que era antes.

No te agobies. Ten confianza en que está bien ser tú mismo.

Muchas personas se sienten tensas o ansiosas al ser ellas mismas. Si te sucede a ti también, en primer lugar, tranquilízate y hazte saber que está perfectamente bien lo que estás haciendo. La ÚNICA manera de que logres esto, es hablando contigo. Siéntate en silencio por unos cuantos minutos, sé consciente de tus pensamientos y explícatelo mediante diálogo interno. Hazlo justo de la forma en la que haríamos que un niño entendiera, siendo confiados y convincentes. Procede así con tu mente. Necesitas decirte que está bien ser el tú verdadero. Si a los otros no les gusta, es su problema. Este diálogo contigo mismo te aliviará de tu tensión y ansiedad, y ayudará a que tengas mejores resultados en los entornos sociales.

Trabaja en tu ansiedad.

Esfuérzate un poco más y lee algunos libros sobre cómo lidiar con la ansiedad. Que no cuentes una autoimagen positiva podría tener su origen en algo más que una simple falta de confianza. Podría ser culpa de alguna ansiedad social aguda. Tomar medidas para trabajar en tu ansiedad social te beneficiará en este descubrimiento de tu yo verdadero.

Una vez que conectes con tu yo "verdadero" a través de estos pasos, comenzarás a sentirte bien contigo mismo. Aprenderás a aceptarte y amarte como eres. Y cuando eso pase, los demás también empezarán a aceptarte tal cual eres.

Estudio de caso: el poder de la perspectiva y una autoimagen positiva

John está emocionado por su primera cita. De verdad le gusta la muchacha con la que saldrá, así que está deseoso de hacer clic y causarle una buena impresión. Sin embargo, a lo largo de la charla que surge en la cita, él se da cuenta que ella se guía por valores completamente diferentes. Prácticamente no tienen casi nada en común. Ahora, ¿qué es lo que hace John para causarle una buena impresión?

Respeta los valores y opiniones de su acompañante, pero decide exponer a su vez los suyos. En lugar de tomar ciegamente las opiniones de ella, él no tiene miedo de mostrar abiertamente y de manera respetuosa su desacuerdo.

Su buena autoimagen y alta autoestima le permiten permanecer fiel a sus valores y comunicarse fácilmente con los demás, aún si ellos no están de acuerdo con lo que dice. Esto sucede porque John cree que es mejor concentrarse en ser auténtico, que en gustarle a la cita.

¿Qué es lo que piensas de ti? ¿Cuentas con una autoimagen negativa o positiva? Averigüémoslo con el siguiente cuestionario.

Autoevaluación de autodescubrimiento

¡Sí! Te tengo otro ejercicio de autoevaluación. Te prometo que será divertido y te otorgará una verdadera introspección, la cual es decisiva si es que quieres ser el dueño de tu vida.

Así que usa todo tu ingenio y contesta honestamente las siguientes preguntas:

1. ¿Cuáles son tus fortalezas?
   a. Nombra cinco cosas que ames de ti.
   b. Nombra cinco habilidades, destrezas o talentos que tengas.
   c. Nombra cinco logros o situaciones de vida en las que hayas "ganado".
   d. Nombra cinco situaciones difíciles que superaste.
   e. Nombra de tres a cinco personas que sean tu mejor apoyo.
   f. Nombra de tres a cinco personas que te hayan ayudado de alguna manera.
   g. Nombra cinco cosas que estés agradecido de tener en tu vida.
2. ¿Cuáles son tus más grandes obstáculos para el ejercicio de la asertividad?
3. ¿En qué aspectos es necesaria una perspectiva diferente para cambiar tu vida?

Resumen del capítulo.

- Una baja autoestima y confianza, el desconocimiento de los derechos y el estrés y la ansiedad son los más grandes obstáculos para el ejercicio de la asertividad en la vida cotidiana.
- Construir una buena autoimagen y tener en cuenta las perspectivas ajenas (diferentes), son las dos acciones esenciales para el uso del estilo de comunicación asertiva.
- Haz lo que te apasione, sintonízate con tus sentimientos, sé consciente de tus pensamientos, identifica tus puntos fuertes, confía en tu intuición, y sal de tu zona de confort para descubrir a tu yo verdadero y construir una buena autoimagen.

En el próximo capítulo aprenderás:

- ¿Qué es el empoderamiento personal, y cómo lograrlo?
- ¿Cómo es estar empoderado?
- La relación entre la asertividad y el empoderamiento.
- Cómo afirmarte de manera positiva.

CAPÍTULO TRES:

Usando tu poder personal

Como ya repasamos en el último capítulo, una buena autoimagen te vuelve el dueño de tu vida. O sea, te empodera.

Ahora, ¿por qué todos queremos sentirnos empoderados?

Porque sin este poder, las personas no tienen control sobre sus acciones. No confían en sí mismas ni en sus decisiones, y permiten que otros – llámese el cónyuge, colega, los niños o los compañeros, decidan por ellos. Puede que lleguen a sentirse como los títeres de sus colegas, familia o amigos, o desbordados por las exigencias del trabajo.

En contraste, las personas empoderadas son completamente responsables de sus acciones, de lo que quieren en la vida y de cómo lo lograrán.

¿Qué es el empoderamiento personal?

"Empoderarse" literalmente significa "volverse poderoso". Esto no se refiere a que te vuelvas tan fuerte como un luchador de sumo o a ser promovido al puesto de trabajo más influyente e importante. El verdadero empoderamiento requiere que establezcas metas significativas identificando lo que deseas en la vida y, hagas luego lo necesario para alcanzar esas metas y así hagas la diferencia en el mundo.

Por lo tanto, el empoderamiento personal es tener el control de tu propia vida, y no permitir que otros lo ejerzan por ti. Ojo, ten muy claro que "empoderarse" no es lo mismo que "tengo derecho a". Hay una clase de personas que creen se merecen todos los beneficios y privilegios nada más porque sí, y el empoderamiento no tiene que ver con ellos. Las personas empoderadas logran el éxito a través del trabajo duro, la reflexión y la cooperación.

Aunque suene fácil, el proceso de empoderamiento es complicado. Para hacerlo es necesario que desarrolles esta consciencia de ti mismo que te ayudará a comprender tus fortalezas y debilidades. Además, deberás comprender y prestarle atención a tus objetivos, distinguir en qué se diferencian de tu situación actual, y cuáles son aquellos comportamientos, valores y creencias que necesitas cambiar para lograrlos. La magnitud del cambio requerido variará según la persona.

¡Pero si te prometí que te lo pondría más fácil!

Es por esto que he dividido el desarrollo de tu empoderamiento personal en un proceso de ocho etapas. Sumerjámonos de lleno, poco a poco, en este aprendizaje.

Determina un objetivo de poder.

Esto podría ser, por ejemplo, una ama de casa que quiere independizarse financieramente de su cónyuge, o alguien que busca ganar más influencia entre sus compañeros de equipo.

Aumenta tus conocimientos.

El próximo paso consiste en que entiendas mejor el objetivo que te has propuesto conseguir. Por ejemplo, si lo que quieres es no depender económicamente de tu pareja, necesitas informarte sobre formas de ganar dinero trabajando desde casa. Permanece accesible a las distintas posibilidades. Entre más abierto seas, más creativo serás, y te lloverán las oportunidades de éxito.

Mejora tu autoeficacia.

Antes de que tomes medidas para lograr tu objetivo, necesitas creerte que puedes hacerlo. Estar bien informado es una cosa, pero debes también estar consciente de tus fortalezas y debilidades. De esto se trata el estar consciente de ti mismo. Incluye ahí también tus valores y creencias, y estúdialos con ojo crítico para asegurarte de que sean completamente válidos. Esto te ayudará a que evalúes mejor en qué aspectos podrías tener más éxito.

Trabaja en tus destrezas y competencias.

Puede que necesites mejorar tus destrezas para volverte más influyente. Estas destrezas pueden mejorarse a través de la experiencia, la educación, el entrenamiento o la práctica. Sin embargo, cuando comiences a interactuar con más y más personas, encontrarás que rápidamente puedes identificar qué es lo que te funciona a ti, y qué es aquello que te ayudará a desarrollarte.

Haz, no dejes de hacerlo.

El empoderamiento personal no será coser y cantar. Te encontrarás baches en el camino. Pero no permitas que te derribe por tierra tu primer desencanto. Mantente resiliente y persistente, sigue moviéndote y prueba con distintos métodos para lograr tus objetivos.

Concéntrate en tu propio camino.

No dejes que la competencia te desanime. No te preocupes cuando parezca que a los demás les va mejor. No significa que has fracasado. Concéntrate en lo tuyo, en las oportunidades que tienes tú.

Si estás más enfocado en competir, en lo que otros hacen o dejan de hacer, entonces perderás de vista la importancia de lo que tú estás haciendo. El empoderamiento no tiene nada que ver con jugar a las carreritas. No se trata de competir, se trata de cuál es ese granito de arena que tú puedes aportarle al mundo.

41

Evalúa tu propia repercusión.

El empoderamiento consiste también en que modifiquemos el impacto que causamos en otros y en nuestras propias situaciones de vida. Por lo tanto es importante que evalúes este aspecto. Puede que al principio no notes un gran cambio, pero incluso los cambios pequeños hacen la diferencia para tu éxito.

Expande tu red de contactos

El empoderamiento se alía con la colaboración, no con la competencia. Nadie alcanza el éxito sin ayuda. Una de las maneras más inteligentes de potenciar tu empoderamiento personal, es haciendo contactos. Construye una red de contactos con personas cuyas fortalezas complementen tus limitaciones. En escenarios colaborativos, el éxito se comparte y las personas se empoderan unas a otras.

La competición nos separa, puede desembocar en celos o ira, y eso no nos ayudará a construir relaciones duraderas o a ser más exitosos.

¿Qué efecto tienen las palabras en el empoderamiento personal?

La manera en la que te expresas sobre ti mismo, sea verbal o no-verbal, puede empoderarte tanto a ti como a las personas con las que te comunicas. Por ejemplo, hacer uso de construcciones verbales activas y positivas como "Yo haré" o "yo puedo" es empoderador, mientras que las expresiones opuestas denotan pasividad, falta de control y responsabilidad de las acciones.

Cuando te des a conocer a los demás, usa conceptos propios para describirte en lugar de esos que los otros usen para hacerlo. Si no lo haces, ellos podrían persuadirte de que te ajustes a sus exigencias.

Nunca critiques a una persona en su cara. Si llega a ser absolutamente necesario que lo hagas, procede con extrema precaución. Elige palabras, frases positivas y de aliento para darles tu crítica constructiva. Por ejemplo, si tu compañero de equipo siempre llega tarde al trabajo, pero es alguien que trabaja duro, elógialo por eso. Dile que si es capaz de hacer su trabajo tan bien, seguro también podrá ser puntual si se lo propone. Verás que como por arte de magia, tus palabras harán que él, en adelante, trate por lo menos de estar a tiempo.

Este es el importantísimo papel que tus palabras juegan en tu empoderamiento personal y en el ajeno. Ahora repasemos cómo es que se siente estar empoderado, a través de un ejemplo.

Estudio de caso: ¿Cómo es estar empoderado?

Amara y Shira son mejores amigas. Las dos se divorciaron de sus maridos después de un año de matrimonio. Sinceramente intentaron salvar sus matrimonios pero no lo lograron. Tampoco recibieron la pensión requerida por parte de sus esposos.

¿Se sienten empoderadas?

En el caso de Amara es así. Aunque estuvo triste por días después del divorcio, decidió seguir adelante. No quería estancarse. Consiguió un empleo de su gusto, hizo nuevos amigos y ahora se prepara para casarse de nuevo.

Por otro lado, Shira está deprimida, se siente frustrada y con ganas de llorar. Está convencida de que su vida está en un paro total desde el divorcio. Culpa a su esposo cada día y se repite que él no la trató bien. Quiere trabajar, conocer gente nueva, pero teme que la rechacen por haberse divorciado.

Amara ya sabía qué es lo que quería en su vida. Por eso tomó la decisión de seguir adelante. Por el contrario, Shira se siente imposibilitada de cambiar su situación, así que ni siquiera lo intenta. Le falta la confianza y la fuerza para lograr lo que desea. Esto se le vuelve un círculo vicioso. Al no tener fuerzas, no lo intenta. Y precisamente porque no lo intenta es que no consigue empoderarse.

Sin embargo, el empoderamiento no solo se consigue logrando cosas. Debes alzar la voz y tener fe en ti para sentirte empoderado. En otras palabras, para empoderarte debes ser asertivo.

43

Analicemos en la siguiente sección, la relación que existe entre asertividad y empoderamiento.

Asertividad y empoderamiento

Examina el siguiente caso:

Nancy trabaja en el departamento de Recursos humanos de una compañía. Es una mujer casada joven y hermosa. Su compañía ha organizado un viaje de negocios a Goa. Todos los colaboradores asistirán excepto ella. Esto es porque su esposo siente que ella no debería salir de viaje sin él. Él piensa que ella no sabrá cuidarse sola.

Entonces Nancy reprime su entusiasmo por el viaje y se resigna con la situación. Meses después, el jefe de Nancy organiza una espléndida fiesta y tanto ella como su esposo están invitados. Pero el esposo lo hace de nuevo. Se niega a ir a la fiesta, pone un pretexto y no permite que Nancy vaya.

Una vez más, Nancy debe reprimir sus sentimientos por la decisión del esposo.

¿Esto te suena familiar?

Bueno, esto ocurre porque Nancy y tú eligen sufrir en silencio en lugar de expresar sus sentimientos. Se comportan pasivamente para no herir los sentimientos de los demás. Puede darte la impresión de que se hace un bien no hiriendo los sentimientos de los demás, pero eso no es más que un espejismo.

Ser pasivo te vuelve la víctima, una que está atrapada en sus situaciones de vida y que no es capaz de salir de ellas sin la ayuda de otros. Hacerte la víctima nunca te empoderará pues siempre estarás a la merced de otros.

En contraste, Nancy pudo ponerse agresiva y gritarle a su esposo. La agresividad hace que te sientas merecedor y es otra manera común de las personas para asumir el poder o para sentir que lo tienen. Estas personas piensan que su agresividad está permitida para lidiar con este tipo de situaciones, por lo que buscan controlar a los demás. Sin embargo, el poder de la agresión no es sano y puede dañar severamente tus relaciones. Si este se vuelve tu método habitual para obtener el control de las situaciones, te alejarás a ti mismo del resto y puede que generes ansiedad en las personas involucradas.

Además de los enfoques pasivos y agresivos que pueden adoptarse para el control de las situaciones, algunas personas optan por el pasivo-agresivo. Esta es una mortal combinación de dos enfoques poco saludables. En una relación de pareja, esta conducta pasivo-agresiva complica aún más las cosas.

Nancy podría aceptar en apariencia las decisiones de su esposo, pero mostrar su desacuerdo de otra manera, por ejemplo, cocinándole comida que a él no le guste. Una persona pasivo-agresiva siente que es poderosa, pero la verdad es que solo pierde su integridad y reduce las posibilidades de un empoderamiento sano.

El empoderamiento sano y la asertividad.

Entonces, ¿cómo diferenciamos entre un empoderamiento sano y uno que no lo es?

¡Es muy simple! Un empoderamiento sano no permite que las personas estén a expensas de otros. Una persona empoderada va por la vida llena de confianza y con un propósito. Si una persona empoderada comete un error que termina lastimando a alguien, se disculpará y encontrará una forma sana de resolverlo tomando en cuenta las necesidades del afectado.

Asimismo, una persona empoderada le hará saber al otro si se siente pisoteada o que se aprovechan de ella. El amor y el respeto hacia uno mismo y los demás, es el mantra de una persona empoderada (de manera sana).

Al sentirte empoderado, también te sientes liberado. Te haces responsable de tus acciones pues no están determinadas por el comportamiento de otras personas. Te daré cuatro consejos para ayudarte a que te vuelvas asertivo y te sientas empoderado en tu vida:

Sé amable, no complaciente.

Hay una diferencia enorme entre ser *amable* y ser una *persona complaciente*.

Ser amable significa que cuidas a tus seres queridos y les brindas tu ayuda cuando la necesitan. Por otra parte, eres complaciente cuando te descuidas a ti mismo por cuidar a los demás. Simplemente no sabes cuándo negarte. Por consiguiente, puedes acumular enojo y resentimiento dentro de ti. Sientes que las personas se aprovechan de que no sabes decir "no".

Tú eliges: ser amable o ser complaciente. Si optas por "ser amable", no solo lo serás con los demás, sino también contigo mismo.

Entiende que atender las necesidades de los demás no significa que sacrifiques las tuyas. Por ejemplo, si tu amigo te pide una ayuda económica que no te es posible darle, simplemente dile que no o pídele un reembolso. Al hacerlo de este modo no sentirás que eres víctima de las exigencias ajenas.

Alza la voz, no denuncies.

Cuando no sabes lo que es la asertividad, te imaginas a alguien que es cruel y exigente. Pero ser asertivo consiste en que alces la voz por ti, no en que pierdas la calma. Te pones a denunciar cuando no se cumplen tus necesidades, o gritas y culpas a otros cuando te están manipulando..

Por otro lado, alzas la voz cuando les haces saber tus necesidades a los demás. No les gritas ni los culpas, sino que más bien estableces proactivamente unas metas y límites razonables. Comunicarles a los demás lo que necesitas contribuye a que vayas construyendo unas relaciones sanas y fuertes, así como tu autoestima.

Establece tus límites.

Los límites son importantes, y establecerlos debe serlo también. Pero incluso aunque así lo hagas, algunas personas tratarán de sobrepasarlos. ¿Qué haces entonces?

Mantenlos bien delimitados y refuérzalos con aquellos que intenten cruzarlos. Pase lo que pase, nunca cedas a las exigencias de esas personas. De no hacerlo así, estarás invitándolos a que los pisoteen una y otra vez.

Deja ir a los "amigos" egoístas.

¡Tú sabes quiénes son tus "amigos" egoístas! Te alaban y se portan bien contigo, pero te buscan únicamente cuando puedes darles algo a cambio.

¿Es que puedes considerarlos tus "amigos verdaderos"? ¿No cruzarán tus límites y esperarán que cedas a sus exigencias?

Si te preocupa perderlos, ¡relájate! No tienes que decirles que las cosas no están funcionando entre ustedes. Ellos se irán por voluntad propia cuando noten que no harás ni una cosa más por ellos. Algunos quizás traten de hacerte sentir culpable, pero no los escuches. Que no te inquiete la pérdida de esas amistades. Es bueno que se vayan porque te mereces unos amigos de verdad.

El no empoderarte hace que te sientas indefenso. Tu vida está en las manos de otros y estarás cumpliéndoles todos sus antojos y caprichos, lo que te llevará a que te llenes de ansiedad y resentimiento.

No obstante, recuerda que volverte más asertivo te devuelve el poder y el control.

47

Cómo afirmarte de manera positiva

La línea es delgada entre ser asertivo y ser agresivo. Y si lo que buscas es sentirte empoderado y más en control de tu vida para llevarla plenamente, positiva y feliz, necesitas ser asertivo.

¡Pero aún no respondemos la pregunta! ¿Cómo nos afirmamos?

Por lo general las personas piensan que son asertivas pero en realidad, han vivido situaciones en las que simplemente no se defendieron y lo dejaron pasar. ¿Qué obtuvieron a cambio? Únicamente guardar la ira, el resentimiento y la frustración en su interior.

Sucede que algunas personas, al enfrentarse a una situación complicada, sienten que es mejor huir en vez de hacerle frente. Esto pasa porque les hace falta un poder interior, este empoderamiento del que hemos estado hablando.

Pero, es mucho mejor ser un fuerte y poderoso león que, un tímido ratón que huye del peligro. Es tiempo de que estudiemos a fondo la asertividad y de que aprendas a ser ese "león" en tu vida.

¿Por qué un león? Porque simboliza la fuerza y el poder que, es finalmente lo que deseas obtener y lo que te ayudará a lograr tus metas de vida.

Son siete pasos los que debes seguir para afirmarte de manera positiva:

Crea una imagen de fuerza en tu mente.

Toma por ejemplo al león del que hablé antes. Evoca la imagen de ese león en tu mente cuando te enfrentes a una situación en la que sea necesario que te afirmes a ti mismo. Si el león no te convence, elige cualquier imagen que represente fuerza y poderío para ti. Crear y recordar esta imagen de fuerza en tu mente, te mantendrá alerta para que practiques la asertividad. Te sentirás confiado al ver que puedes afirmarte positivamente.

48

Cree en ti y en tus valores.

Lo primero que necesitas tener en cuenta para ser asertivo, es que debes creer en ti y en aquello que consideras importante. Sin este autoconocimiento o un sólido sentido de tu ser, te será difícil defenderte y afirmarte cuando lo veas necesario.

Tienes que conocer quién eres en realidad, y qué es aquello que te volverá una persona verdaderamente asertiva. Comienza hoy mismo a desarrollar este autoconocimiento. Identifica tus puntos fuertes para que saques el mayor provecho a las situaciones en las que necesites apegarte a tus creencias.

Comprende tus propios límites.

No puedes ser asertivo a menos que estés consciente de tus límites y sepas identificar si alguien está cruzándolos. Es fundamental que los definas y les hagas saber a los demás qué acciones son las que te hacen sentir incómodo.

Debes de ser claro respecto a qué tolerarás y que no. Pero antes de que lo expreses a los demás, tú ya debes de tenerlo establecido porque, de no ser así, no notarás si alguien se pasa de la raya.

Comprende tus necesidades y el por qué quieres ser asertivo.

¿Qué quieres lograr al afirmarte a ti mismo?

Puede que quieras acabar con el comportamiento desagradable de alguien más o alcanzar otra meta específica. Debes de conocer qué es lo que quieres y qué es lo que deseas lograr al afirmarte positivamente. Esto se vuelve necesario porque, en el calor del momento, lo que es importante a veces puede perderse de vista. Así que asegúrate de que tienes bien presentes tus valores cuando te toque determinar tus objetivos.

Respeta a otros (y a ti).

Ya hemos mencionado que la línea entre ser asertivo y agresivo es muy fina. Puedes ser asertivo sin que humilles a otros. Puedes ser asertivo sin que debas ponerte a ti o a los demás en una situación incómoda o de vulnerabilidad.

¿Cómo lo haces? Sé respetuoso. Puedes conducirte con respeto y amabilidad aún cuando estés siendo asertivo. Ponte en sus zapatos y medita sobre cómo te gustaría ser tratado. Tenlo presente cuando te afirmes. Que seas respetuoso con los demás mantendrá tu integridad y además estarás orgulloso de tu comportamiento.

Sé claro con tus expectativas.

Para que seas asertivo en cualquier situación, es imprescindible que expreses claramente lo que esperas de los demás. Si no lo haces, será muy difícil que obtengas lo que quieres.

Cuando compartas tus expectativas, sé claro y directo. Evita el uso de palabras confusas o vagas. Puede que a veces sea complicado ser directo pero, si eres claro con lo que quieres, es más probable que lo consigas.

Recuerda: nadie es omnisciente y no te leerán el pensamiento o sabrán qué es lo que quieres. Debes expresarlo sin rodeos.

Practica a menudo tu asertividad.

Ya habrás oído esto antes: ¡la práctica hace al maestro!

Para que tus destrezas asertivas mejoren, debes ayudarte de la práctica constante. Esto no quiere decir que debas mantenerte en tus trece y te salgas con la tuya todo el tiempo, sino que tomes en cuenta tus necesidades, y las valores tanto como las de los demás.

Piensa en esas ocasiones en las que pudiste ser asertivo, pero no lo fuiste. Piensa en cómo podrías afirmarte si situaciones parecidas (o peores) surgieran en el futuro. ¡Ensáyalo! Practica todo lo que puedas.

Reconstruyendo tu vida desde el respeto

Es seguro que todavía te ronda una pregunta por la cabeza: ¿cómo respeto al mismo tiempo mis necesidades y las de otros? ¿Es que no tengo que comprometer mis propias necesidades para tener relaciones pacíficas? ¿Acaso no es más fácil quedarse callado, que expresar las necesidades?

Respuesta corta: NO.

No tienes por qué ser un buenazo complaciente para tener mejores relaciones. O satisfacer necesidades a cambio de silenciar tu expresión personal. Esto te lleva a la pasividad y a que acumules ira y resentimiento. La clave está en que reenfoques tus necesidades y las respetes. Esto se llama amor propio; es la habilidad de percibirte merecedor de tener la misma dignidad y derechos básicos que los demás.

En los últimos tres siglos, el mundo ha sido testigo de un incremento significativo en los derechos civiles de las personas. La Declaración de los Derechos Humanos, firmada por la mayoría de los países, garantiza a las personas la misma dignidad y los mismos derechos básicos sin importar su clase social, género, religión, etc.

Y aún con todo eso, es sorprendente que las personas no busquen afirmarse ni reclamen sus derechos pese a que ya cuentan con ellos. Toma de ejemplo a las personas que son acosadas e intimidadas y prefieren el silencio a luchar contra la injusticia. Algunas personas aceptan que les paguen menos, aún si su desempeño es el mismo que el de los demás.

¿Por qué sucede esto? Las investigaciones muestran que cuando las personas se perciben como iguales a otras, esperan un trato igualitario. Pero cuando no es así, consideran que el trato desigual es justo y que la protesta es una respuesta inapropiada.

De modo que para reclamar los derechos o para comportarse asertivamente, una persona debe percibirse igual de valiosa que los demás. Es decir, debe tener cierto amor propio.

¿Pero qué significa percibirte como igual a los demás? ¿Cómo respetas al mismo tiempo tus necesidades y las de otros?

Entendámoslo mediante algunos ejemplos.

Supón que estás insatisfecho con el servicio de un restaurante en el que te encuentras. Una reacción pasiva sería no decir nada. Una reacción agresiva sería gritarle al camarero. Una reacción asertiva sería hacerle saber amablemente al camarero lo que deseas. De esta manera respetas al camarero y obtienes lo que necesitas.

Veamos uno más.

Tu empleado es algo perezoso y no termina sus tareas a tiempo. En lugar de gritarle y reprenderlo, una reacción asertiva sería establecer expectativas claras con dicho empleado.

Podemos respetar las necesidades propias y ajenas si hacemos "peticiones" en lugar de "exigencias". Las exigencias no toman en cuenta las opiniones y necesidades de las otras personas y, por lo general, resultan contraproducentes. Las peticiones, por otro lado, dan importancia a las necesidades de ambas partes. Es más probable que las personas atiendan a las peticiones porque logran vincularse y sienten que tienen elección.

Si no puedes escuchar un "no" por respuesta, entonces estás exigiendo. Si estás abierto a encontrar una estrategia que funcione para los dos, entonces será una petición. Las peticiones aumentan las probabilidades de que la otra persona sea más flexible respecto a lo que está dispuesta a hacer por ti.

Entonces honrar las necesidades ajenas no tiene por qué comprometer el respeto de las tuyas, ni tampoco significa que debas quedarte callado o volverte complaciente o dejar que se aprovechen de ti; más bien se trata de que reconozcas compasivamente las necesidades de los demás, y de que hagas peticiones (no exigencias) para cubrir las propias. Después de todo, mereces tener voz y voto.

Resumen del capítulo.

- El empoderamiento y el amor propio son requisitos necesarios para desarrollar una conducta asertiva.
- Establécete una meta de peso, adquiere conocimientos, mejora tus destrezas y competencias, sigue trabajando para alcanzar tus objetivos. Esto te ayudará a empoderarte desde dentro.
- Cree en ti mismo y en tus valores, comprende tus necesidades y límites, sé claro con lo que esperas de los demás para así afirmarte positivamente y desarrollar tu amor propio.
- Mereces voz y voto. Reconoce clara y compasivamente las necesidades ajenas y haz peticiones (no exigencias) para cubrir las tuyas.

Agradecería que pudieras contestarme las siguientes preguntas, antes de que pasemos al quid de la cuestión en el desarrollo de la conducta asertiva.

1. ¿Te percibes igual a los demás? ¿Por qué sí o por qué no?
2. Nombra tres situaciones de tu vida en las que pudiste ser asertivo y no lo fuiste.
3. ¿En qué aspectos sientes que te falta empoderarte? ¿Cómo crees que puedas lograr hacerlo?

En el próximo capítulo aprenderás:

- Por qué la asertividad es una destreza aprendida.
- Tres claves para un comportamiento asertivo.
- Las diversas categorías de una conducta asertiva.
- Manejar asertivamente las críticas.
- Cómo hablar por ti mismo.

CAPÍTULO CUATRO

Desarrollando la conducta asertiva

Ahora que ya sabes qué es la asertividad y que conoces lo que se necesita para el desarrollo de una conducta asertiva, sigue la parte más seria (¡y divertida!) – dejar que la tuya florezca.

La asertividad es una destreza aprendida.

La asertividad no es solamente un estilo de comunicación, es también un modo particular de comportarse que implica a su vez la expresión de los pensamientos, sentimientos, creencias y opiniones de manera abierta, sin violar los derechos de los demás.

Y todo modelo de conducta puede aprenderse si se practica lo suficiente. Ahora, la práctica se relaciona a la siguiente lista de lo que debe y no debe hacerse para tener una conducta asertiva:

Lo que debes hacer.

1. Expresar sin rodeos tus necesidades.
2. Expresar tus ideas sin sentirte culpable.
3. Defender aquello en lo que crees, aún si los demás no están de acuerdo.
4. Conocer tus derechos y saber hacerlos válidos.
5. Comunicarte de manera eficaz.

6. Expresarles con confianza tus sentimientos a los demás.
7. Tener independencia y autonomía.
8. Perseverar hasta que cubras tus necesidades.
9. Analizar un problema e identificar si es tu responsabilidad antes de tomar medidas.
10. Tener una actitud positiva todo el tiempo.
11. Ser fuerte cuando los otros flaqueen.
12. Sentirte orgulloso de tus logros.
13. Atreverte a soñar y desarrollar las destrezas necesarias para volver esos sueños realidad.

Lo que no debes hacer.

1. Andarte con rodeos a la hora de expresar tus necesidades.
2. Sentirte culpable o tener miedo de expresar tus necesidades.
3. Estar de acuerdo con otros sin importar cómo te sientas.
4. No conocer tus derechos.
5. Comunicarte de manera ineficaz.
6. Suplicar por aquello que es legítimamente tuyo de acuerdo a la ley.
7. Depender de otros.
8. Darte por vencido cuando surjan los problemas.
9. Tirar la toalla.
10. Dejarte influenciar por otros.
11. No sentirte a gusto con tus logros.
12. Tener miedo a soñar.

La práctica de la asertividad no es nada nuevo. Por décadas, muchas personas y organizaciones han logrado sus objetivos a través de las técnicas asertivas. Te daré unos cuantos ejemplos de personas asertivas que por tal característica han alcanzado y "ganado" sus metas:

- Susan B. Anthony, gracias a su perseverancia en la larga lucha por obtener el sufragio femenino, obtuvo el voto para las mujeres estadounidenses en 1919 .
- Mohandas K. Gandhi, armado solo con su determinación, obtuvo la independencia de la India e inspiró a que personas

oprimidas de todo el mundo emularan sus métodos pacíficos para ganar la libertad.

- Carol Mosely Braun causó un gran revuelo político tras derrotar su contrincante Alan Dixon, apodado "el invencible", en las elecciones primarias del partido demócrata para representar a Illinois en el senado de los Estados Unidos.
- Jane Bryne (ex-alcaldesa de Chicago) fue despedida de su trabajo en el Ayuntamiento, debido a su franqueza asertiva. Pero un año después, sería electa como cabeza del Ayuntamiento.
- Patrick Henry, al enunciar su asertiva frase "dadme la libertad o dadme la muerte", se convirtió en el portavoz del que sería el lema de la revolución estadounidense.
- Jesse Jackson superó a la pobreza y la discriminación con su actitud positiva, convirtiéndose así en un poderoso líder nacional.
- Juana de Arco, cuya valerosa asertividad llevó a la victoria a un derrotado ejército francés.

Las personas emprendedoras, dinámicas y triunfadoras son todas asertivas aunque sus estilos concretos pueden variar.

Ciertamente todos nacemos con un carácter innato para reafirmarnos. Pero conforme crecemos y socializamos, esto podría reforzar o restringir nuestras tendencias. Las reacciones que recibimos cuando niños de parte de nuestra familia, pares, compañeros de trabajo y figuras de autoridad, tienen un impacto especial en la modelación de nuestro temperamento.

Por ejemplo, si en tu familia los conflictos se resolvían a gritos o discusiones, aprenderás a lidiar con ellos de la misma forma. Por otra parte, si tu familia o compañeros de trabajo abogan por la libertad de compartir tus pensamientos mientras respetas los ajenos, es más probable que desarrolles los mismos hábitos.

Cuando creces siendo asertivo, tiendes a ser más equilibrado emocionalmente y gozas de una mejor salud. Pero ser asertivo no te garantiza que SIEMPRE obtendrás lo que quieres. A veces será así, a veces no lo será, y en ocasiones ambas partes estarán de acuerdo con las medidas tomadas.

Ya sé que debes estar pensando que no has crecido siendo asertivo. Las personas a tu alrededor te enseñaron siempre a poner primero las necesidades de otros. Y ahora te resulta muy difícil reafirmarte. ¡No pasa nada! Como lo mencioné antes, la asertividad es una destreza que puedes aprender en cualquier momento de tu vida. ¡Incluso a estas alturas! Lancémonos de cabeza a aprender más acerca de cómo podemos desarrollar un comportamiento asertivo.

Ya que hemos hecho la distinción entre los modelos de comunicación pasiva, agresiva y asertiva, examinemos mejor estos tres estilos.

Comportándote agresivamente, incluso si tienes la razón, les haces saber a los demás que "lo que yo quiero es más importante que lo que tú quieres". Pones en juego las necesidades de las otras personas, de hecho, parece que les faltas al respeto. En consecuencia, las víctimas de tu agresión se resisten y con frecuencia contraatacan con ira. Esto puede llevarte a conflictos, discusiones, estrés e incluso odio en las relaciones.

Ser pasivo no es mucho mejor. Es vivir una vida en la que no existe la palabra "no", muy similar a como sería conducir un auto sin frenos. Cuando dices "no", estableces límites apropiados sobre qué aceptas y qué no aceptas de otros. Sin estos límites, tu vida será una espiral de estrés, descontrol, ira y resentimiento. Decir no a tiempo y por la razón correcta es bueno, sano y adecuado. ¡De eso se trata la asertividad!

Un *comportamiento asertivo* es la expresión positiva y mesurada de tus necesidades legítimas. Es una manera sana de comunicarte con los demás, una en la que conservas tu amor propio y te ganas el respeto de los demás.

Es una saludable forma de negarte a algo con dignidad. Ser asertivo te permite obtener lo que necesitas sin lastimar a otros. Es el balance perfecto entre los comportamientos pasivo y agresivo.

Un comportamiento asertivo te permite llevar una vida de paz, respeto y cooperación. Una persona asertiva aboga por sí misma, lo hace de una manera respetuosa y decidida, pero reconociendo los sentimientos y derechos ajenos.

Los mensajes protagonizados por el "yo" típicamente reflejan un comportamiento asertivo.

Por ejemplo:

- No alcanzaré a llegar hoy a la junta.
- Te agradecería si pudieras ayudarme con esto.
- No estoy de humor para ir a la fiesta.
- Lo siento, ya te expliqué las consecuencias de llegar tarde hoy a la oficina y ahora debes enfrentarlas.

Al contrario de lo que muchos piensan, la asertividad suscita el respeto de los demás, mientras que los otros estilos no lo consiguen.

Al comportarte asertivamente, las personas se dan cuenta de que "dices lo que piensas" y que no exageras ni das faroles. Tu "sí" significa "sí", y tu "no" significa "no". Una comunicación tan clara beneficia a las partes involucradas, genera confianza y construye la cooperación.

Las personas se sienten más a gusto con aquellos que son transparentes y abiertos al respecto de sus pensamientos y sentimientos. El estilo de comunicación asertiva incluye cómo piensas, hablas y te comportas.

Portarse asertivo también reduce los niveles de estrés. La pasividad es sinónimo de sentirse impotente y abrumado. La agresividad a menudo se topa con resistencia y contraataques. Estos últimos estilos son extremadamente estresantes.

Antes bien, un individuo asertivo consigue lo que él/ella quiere mediante un acercamiento equilibrado, tranquilo pero decidido. Un comportamiento de esta índole es el menos estresante.

Entendamos la asertividad con una historia real.

Julie agradece cuando su esposo Jack declina ayudarla con los quehaceres de la casa. Ella sabe si él no puede o no quiere hacer algo. Además, eso le asegura que cuando él dice "sí" a algo, es porque en realidad desea hacerlo.

El comportamiento asertivo de Jack hacia Julie es un acto de respeto y honestidad. Si Julie no está de acuerdo con Jack en algo, ella sabe que también puede estar en desacuerdo respetuoso con él. Juntos pueden resolver sus asuntos, y llegar por mutuo acuerdo a un plan de acción.

Tres claves para un comportamiento asertivo

Estas tres claves son como las tres patas de un taburete. Puedes sentarte en uno sin miedo a caerte, pero no podrías hacerlo en uno que tuviera solo dos patas. Estas tres patas caracterizan muy bien al comportamiento asertivo.

Los tres componentes básicos de este comportamiento son:

1. **Saber lo que quieres**. Sé claro con qué es lo que deseas.
2. **Di lo que necesitas**. Comunica tus intenciones, necesidades y deseos a otros sin hacer uso de un lenguaje vago o confuso.
3. **Obtén lo que quieres**. Mediante una comunicación respetuosa, decidida y mesurada, aumenta las posibilidades de lograr tus objetivos razonables y legítimos.

Categorías de la conducta asertiva

Antes incluso de que digas algo, tu lenguaje corporal ya habla por ti. Les hace saber a otros si confías o no en ti mismo.

Lenguaje corporal que demuestra confianza:

- Pararte derecho y hacer contacto visual cuando hablas con otros.
- Sentarte de una manera relajada pero profesional.

- Tomar la iniciativa para saludar y entablar una conversación con los demás.
- Sentarte con seguridad junto a la persona más poderosa en la sala.
- No esperar a que te den permiso para hablar.
- Ser organizado en el trabajo y tener a la mano la información requerida.
- Vestirte de manera apropiada.
- Ser cortés y agradable durante el intercambio de ideas.

Lenguaje corporal que indica falta de confianza:

- Postura encorvada cuando se está de pie.
- Evitar el contacto visual cuando se habla con las personas.
- Parecer tenso y temeroso al sentarse.
- No tomar la iniciativa del saludo, esperar a que los demás lo hagan primero.
- Sentarse sin llamar la atención.
- Tener miedo a expresarse, a menos que se les haya concedido permiso para hacerlo.
- Rara vez cargar con la información o los materiales para las reuniones.
- No vestirse acorde a la situación.
- Volverse desagradable, beligerante o grosero al expresar una opinión.

Una persona asertiva se comunica con seguridad tanto en su lenguaje verbal como en el corporal. Estas son las tres categorías de la conducta asertiva:

La negativa asertiva es decir "no" en el momento indicado y de la manera correcta. Decir "no" te ayuda a establecer límites saludables y le hace saber a otros qué es lo que pueden esperar de ti. También te empodera y mantiene sólidas tus relaciones.

Algo que puede ayudarte a que te sea más sencillo decir "no", es tener muy en claro en qué tipo de situaciones dirías "sí". Anota tus tres prioridades principales en un cuaderno de notas o agenda (podrían cambiar con el paso del tiempo) y tenlas siempre a la mano. Cuando alguien te pida algo, comprueba si la petición se alinea con tus prioridades. Si es así, puedes contestar de manera afirmativa. De lo contrario, niégate.

Sigue estas recomendaciones para negarte de una buena manera:

- Afirma tu postura cuando no puedas hacerte cargo de una tarea. Por ejemplo, diciendo "no puedo".
- Explica tus razones: Da una razón válida para negarte a la tarea, por ejemplo, que estás ocupado con otras tareas importantes.
- Expresa tu comprensión por la otra persona.

Si en ese momento no puedes darle una respuesta a la persona, pídele que te dé un tiempo para pensarlo y proporciónale una fecha de respuesta. Esto te vuelve responsable y asegura que te valoras a ti mismo y a la relación al darle una respuesta concreta en un tiempo razonable.

La asertividad expresa consiste en decirles a los demás cómo te sientes. Que expreses tus sentimientos es fundamental para una comunicación efectiva.

Diez situaciones en las que debes expresarte:

- Cuando ames a alguien.
- Cuando algo sea muy importante para ti.
- Cuando algo te moleste.
- Cuando sientas que no puedes más, alza la voz y pide ayuda.
- Cuando no estés de acuerdo con alguien.
- Cuando no estés contento con una situación.
- Cuando alguien haya hecho algo genial por ti.
- Cuando tengas dudas, siempre haz preguntas.
- Cuando tengas las respuestas, nunca te las guardes para ti.
- Cuando tengas buenas noticias, siempre compártelas.

Sin duda alguna debes expresar tus sentimientos positivos y negativos. Pero debes tener cuidado con los sentimientos pesimistas.

Debes responsabilizarte por ellos en lugar de echarle la culpa a los demás.

Por ejemplo, si tu amigo llega tarde a la cena, tú podrías decir "me has hecho enojar con tu impuntualidad." Puede que tu amigo haya llegado tarde, pero él no es responsable de tus reacciones. La realidad es que tus sentimientos son resultado de tus propias expectativas y esperanzas. Si te expresas de una manera que parece echarles la culpa, es más seguro que obtengas una respuesta a la defensiva. Podría suceder que el asunto quede sin resolverse porque la otra persona no reconoce tus sentimientos.

Si yo estuviera en tu lugar, expresaría mis sentimientos como "estaba enojado cuando llegaste tarde porque esperaba que pasáramos más tiempo de calidad juntos."

¿Ves la diferencia? Me hice responsable de mis propios sentimientos. Cuando expresas tan claramente tus sentimientos, dices por qué te sientes de esa forma y no le echas la culpa a nadie, permites que los demás los comprendan y reconozcan.

La asertividad en la petición consiste en recibir la información y sus posibles aclaraciones, para pedir después lo que quieres. Cuando no eres muy diestro en las peticiones asertivas, complicas innecesariamente tu vida y la de los que te rodean. Puede que te pierdas de oportunidades, te tardes más en hacer las cosas o te lo pongas más difícil.

Por otro lado, cuando aprendes a pedir asertivamente, te respetas a ti y a los demás. Pidiendo directamente lo que necesitas, mandas el siguiente mensaje: "soy valioso" y "aprecio tu ayuda". Básicamente le haces un cumplido a la otra persona.

¿Qué está impidiéndote que pidas de manera asertiva?

Comprueba si alguna de estas creencias se parece a las tuyas:

- Si se niegan a hacer lo que les pido, significa que no les gusto/no me respetan.
- Pedirles ayuda me deja en deuda con ellos.

- Pedir ayuda significa que soy débil o que otros pensarán que lo soy.
- Es mejor hacerlo yo, que arriesgarme a que me rechacen.
- Si pido ayuda, los molestaré o disgustaré.
- No quiero ser una carga/añadirles más estrés o carga de trabajo.
- No merezco pedir ayuda.
- No tendría por qué preguntar; las personas deberían saber cuándo necesito ayuda.
- Solo me ayudarán si estoy entusiasmado.
- Deberían de ayudarme porque soy más importante o estoy más estresado que ellos.

Estas creencias hacen que pedir ayuda se vuelva difícil. Y aún si la pides es probable que te topes con resistencia. Sin embargo, recuerda tener presente que estas creencias podrían tratarse únicamente de una expresión de tus sentimientos. Que te sientas de esa manera no las vuelve ciertas.

Además, si pides ayuda, podría suceder que eso que quieres que ocurra vaya sobre ruedas más fácil y rápido. Podrías conseguir un mejor trabajo, aprender algo nuevo, compartir tus experiencias o conocer más a fondo a alguien. Esto te ayudará a que construyas mejores relaciones y a que les demuestres quién eres (o sea, tu autenticidad).

Te daré una fórmula simple para que hagas peticiones de manera asertiva:

Pídeselos directamente. Llámalos por su nombre y diles el por qué necesitas ayuda. Menciona en breves palabras qué es lo que necesitas de ellos. Mantente en calma, haz contacto visual y habla con honestidad. No los halagues solo porque quieres convencerlos de que te ayuden.

Prepárate para conversar hasta que logren un mutuo acuerdo. La otra persona también tiene derecho a pedirte aclaraciones, negociar y expresarte las desventajas que tu petición podría causarles. Prepárate para esto.

Las peticiones asertivas nos libran de tener que manipular a los demás o de portarnos mandones a la hora de pedirles ayuda. También contribuyen a que construyamos nuestra confianza y autoestima. Solo recuerda no tomarte demasiado a pecho la respuesta de la otra persona.

Consejos para ser asertivo

- CONTACTO VISUAL – Mira a los ojos a la persona con la que hables, pero no lo hagas todo el tiempo.
- POSTURA CORPORAL – Párate o siéntate erguido en dirección a la persona, pero evita estar demasiado rígido.
- ESPACIO PERSONAL/CONTACTO FÍSICO – Si puedes sentir el aliento de la otra persona, probablemente estás demasiado cerca. Guarda una distancia adecuada.
- GESTOS – Usa gesticulaciones de las manos para complementar lo que dices, pero acuérdate de que no estás dirigiendo una orquesta.
- EXPRESIONES FACIALES – Asegúrate de que tus expresiones faciales concuerdan con tus emociones y tus palabras. Es decir, no te rías cuando estés disgustado y no frunzas el ceño si es que estás feliz.
- TONO DE VOZ, INFLEXIÓN y VOLUMEN – Asegúrate de que tu mensaje es escuchado, cuidando tu tono, inflexión (cómo dices ciertas sílabas) y el volumen de tu voz.
- FLUIDEZ – Es importante que hables con soltura y eficacia.
- SENTIDO DEL TIEMPO – El tiempo es importante, especialmente en el caso de expresar tus sentimientos negativos o de hacerle una petición a alguien. Llevarlo a cabo días después o hacerlo frente a ciertas personas puede que no sea lo mejor. Hablen sobre el asunto, tan pronto como sea posible y conveniente para ambos.
- LA ESCUCHA es uno de los aspectos más importantes y descuidados de la asertividad. Cuando hables con alguien sobre tus sentimientos, debes de concederle la oportunidad de responda, y debes respetar sus derechos.
- CONTENIDO – Dependiendo de qué quieras lograr con tu comportamiento asertivo, el contenido de tus mensajes será diferente.

Cómo manejar asertivamente las críticas

Puedes ayudarte de tres formas, en lo que se refiere a lidiar con las críticas, y a la toma de decisiones respecto a qué cambios deberás implementar al respecto de tu comportamiento. Recuerda que las personas critican tu comportamiento, no quién eres.

Las tres maneras para manejar asertivamente una crítica son:

1. Acéptalo, si es que es verdad – Siempre es posible que haya algo de verdad en lo que digan de ti. Por ejemplo, si alguien te dice "siempre piensas demasiado en los asuntos sin importancia", admítelo diciendo "sí, a veces suelo darles demasiadas vueltas."
2. Si cometiste un error, reconócelo. Solo estarás refiriéndote al error, y no a tu persona. Si tu jefe te dice "qué pasa contigo, se suponía que enviaras el archivo en pdf", admites tu equivocación y prometes corregirlo lo más pronto posible.
3. Si alguien te critica sin necesidad, pregúntale qué es exactamente lo que le molesta. Por ejemplo, si alguien critica tu decisión de casarte a una mayor edad. Tú aceptas que el matrimonio tiene que ocurrir a cierta edad, pero aun así la persona continúa con su alegato. Aquí es cuando debes preguntarle qué es lo que le inquieta en realidad.

Estas técnicas anteriores para manejar asertivamente las críticas contribuyen a que salgas airoso de las situaciones desagradables sin sentirte culpable o tonto. Sabiendo que puedes manejar las críticas sin ponerte a gritar o insultar, te acercarás más a ser esa persona que deseas ser.

Hablar y pensar por ti mismo.

¿Te das cuenta que eres una persona única en su tipo? Así que deberías de aprender a sentirte cómodo dentro de tu propio pellejo, sobre la manera en la que te afirmas a ti mismo. Algunas personas son ruidosas y entusiastas, y las personas pueden escucharlas con claridad. Pero otros optan por hablar con menos frecuencia y más suavemente, y son igualmente escuchados.

Así que no cambies tu estilo. El truco está en que adaptes a palabras eso que quieres o necesitas. ¿Cómo puedes hacer que te escuchen?

- Haz contacto visual con la persona con la que hables. Si eres de baja estatura o usas una silla de ruedas, haz que te mire al dirigirte específicamente a ella. Si parece reticente a mirarte, encuentra una manera ingeniosa y cortés de decirle "¡aquí estoy!"
- Habla claramente. Si sufres de una discapacidad del habla, mantén la calma. Relaja tus músculos, inhala profundamente y exhala. Habla tan lento y claro como te sea posible. Puedes visualizar una corriente de montaña para ayudarte a relajar el cuerpo. Si estás tranquilo, la otra persona te imitará y podrá concentrarse en lo que estés diciendo.
- Sé educado y atento, no servil.
- Si la otra persona se dirige a todos los presentes exceptuándote a ti, dile con firmeza y de buena manera que te gustaría que también te reconozca como a los demás.
- Piensa en lo que dirás y en cómo lo dirás, *antes* de que comiences a hablar.

Autoevaluación: ¿cómo eres tú?

Si el ser asertivo no va contigo, ¿entonces qué sí? Elige alguna de las siguientes opciones:

- El **Buen Tipo,** que tiene miedo de decir o hacer algo que pueda ofender a los demás.
- El **Quejumbroso,** que se la vive protestando y quejándose de que no obtiene lo que necesita, de lo mal que lo tratan los demás cuando pide cosas y de lo horrible que es todo en general, pero nunca hace nada para resolverlo.
- El **Arrimado,** que espera que otros intervengan en su nombre y defiendan sus derechos.
- La **Víctima Silenciosa** que se enfurruña ella sola y cree que no puede hacer nada para cambiar su vida.

- La **Princesa de Cuento** que espera que todo se lo sirvan en bandeja de plata.
- El **Eterno Pusilánime** es ese alguien que sin falta está esperando a que ocurra algún milagro que lo solucione todo. Es ese alguien que espera, espera y espera a que alguien más haga algo.
- El **Obús,** que sin previo aviso se activará solo y disparará unos cuantos proyectiles.
- El **Miedoso,** que cree que todos se le echarán encima si se toma la molestia de hacer algo.
- El **Apaciguador,** que resuelve los conflictos dejando de lado sus necesidades.

¿Cómo te percibes a ti mismo cuando los demás te critican?

¿Qué es lo que esperas recibir cuando pides ayuda a alguien más?

Escribe tus respuestas, antes de que pasemos a aprender más sobre la asertividad en el siguiente capítulo.

Resumen del capítulo

- La asertividad es un modelo de conducta y comunicación que puedes aprender y poner en práctica para alcanzar lo que deseas en la vida.
- Las tres claves para un comportamiento asertivo son: saber lo que se quiere, decir lo que se necesita y obtener lo que se desea.
- Incluso antes de que abras la boca, tu lenguaje corporal ya está diciendo mucho sobre ti y tu nivel de confianza. Asegúrate de que dicho lenguaje expresa asertividad y confianza en ti mismo.
- El expresar tus sentimientos, pensamientos y opiniones positivas y negativas, el negarte respetuosamente a ciertas peticiones, y el pedir ayuda cuando la necesitas son los aspectos más significativos de una conducta asertiva.

En el próximo capítulo aprenderás:

- Por qué es difícil que digas "no" a los demás.

- Cómo mejorar tus habilidades para decir "no" en situaciones de la vida y los negocios.
- La manera correcta de decir "no".

CAPÍTULO CINCO:

El arte de negarse

Otro de los aspectos fundamentales del comportamiento asertivo, es la habilidad para decir "no" de la manera correcta en el momento adecuado. Ya conoces las ventajas que esto tiene en tus relaciones y para ti como persona. ¿Pero acaso conocer los beneficios te lo pondrá más fácil?

¡No puedes responder con un "sí" a eso!, ¿Verdad?

¿Por qué? ¿Por qué nos cuesta decir no?

Jennie no se sentía del todo lista para casarse. Aunque sabía que ya estaba en edad para hacerlo, quería enfocarse en su carrera profesional y quizás pensarlo un año después. Sus padres sacaban el tema casi diario: "Ya tienes treinta y cuatro", decían. "Si esperas más tiempo, no pescarás a un buen candidato y te quedarás sola. ¿Por qué no piensas en casarte ahora?" Jennie pensaba que quizás sus padres tenían razón. Pero, muy en el fondo, no le convencía la idea de casarse pronto y no sabía cómo decírselo a sus padres.

Las amigas de Susan saldrían de fiesta a un caro club nocturno. Pero Susan no podía permitirse una noche de parranda. Salían muy caras y, además, tampoco era como que tuviera ganas de ponerse borracha, como sabía que ocurriría. Por desgracia, aún no daba con una excusa para faltar, que no provocara que ellas pensaran que era una aguafiestas.

Susie se había divorciado recientemente de su esposo. Sus padres y amigos estuvieron presionándola para que se creara una cuenta en un sitio web matrimonial. Pero Susie estaba reacia. Que le interesara o no, a algún hombre, no le preocupaba. El asunto era: ¿qué pasaría si a ella no le interesaban sus pretendientes? No podía rechazarlos educadamente. No podía herir los sentimientos de las personas. Le resultaba muy difícil decirle "no" a alguien.

¿Alguna de estas situaciones te resulta familiar?

Muchos hombres poderosos e influyentes consideran que el "no" forma parte de una estrategia exitosa de vida. Por ejemplo:

Steve Jobs: *Enfocarse significa decir no.*

Warren Buffett: *Necesitamos aprender a dar un lento sí y un rápido no.*

Tony Blair: *El arte del liderazgo consiste en decir no, no en decir sí. Es muy fácil decir sí.*

Aún contando con el apoyo y pensamiento de estos hombres célebres que sí lo lograron, todavía nos cuesta mejorar en el arte de decir "no". ¿Por qué pasa esto?

He aquí los motivos:

Miedo al conflicto.

Muchos de nosotros le tenemos miedo al conflicto. No nos gusta que se enojen con nosotros o que nos critiquen. Por consiguiente, no decimos "no", a menos que con dicha respuesta vayamos a entrar en conflicto con alguien más. Ese alguien puede ser tu pareja, tu colega, un amigo o tu jefe.

Aunque saben que no deberían ceder a todas las exigencias de sus hijos, muchos padres optan por hacer esto para evitarse los problemas. Sienten que si les dicen "no", ellos dejarán de quererlos.

Y este miedo al conflicto se nos inculca desde niños. Nos han dicho que debemos hacer lo que los padres, maestros y figuras de autoridad quieren que hagamos. Nos hacen temerle al castigo o a perder su amor si no los obedecemos. Y cargamos hasta la adultez con esta preocupación por el conflicto.

Además, las ganas de encajar y de gustarles a nuestros pares nos impiden decir "no". Las investigaciones apuntan a que los hombres y las mujeres sienten una tremenda necesidad de pertenecer al grupo. Queremos ser aceptados por nuestros potenciales amigos y por aquellos que ya lo son y, por lo tanto, nos quedamos callados.

El no querer decepcionar o herir a alguien.

A veces hacemos cosas para que los demás se sientan mejor, aunque no sea lo que queramos hacer. Pero únicamente para que los otros sonrían, ¿dejarás de sonreír tú ? Imagina que debes entregar un trabajo urgente para mañana, pero no puedes decir que no irás a la fiesta de un pariente porque no quieres decepcionarlo.

Porque no parece políticamente correcto.

Para algunos, pensar en rechazar la petición de alguien es políticamente incorrecto porque da la impresión de que uno es egoísta e indiferente.

Es más difícil para las mujeres.

Con frecuencia, las mujeres tienen dificultades para decir "no" a los hombres pues quieren llevarse bien con ellos, desean ser agradables y no herir sus sentimientos.

Es un signo de debilidad.

Decir "no" es percibido por algunas personas como una debilidad, ya sea en sus propias mentes o en las de aquellos para quienes trabajan.

La gente no espera que digas no.

Cuando alguien te pide que hagas algo, ya está asumiendo de antemano que dirás que sí. Así que ellos ya cuentan con una ventaja psicológica sobre ti, y tú no querrás defraudar sus expectativas.

Por ejemplo, digamos que tu madre te pide que le cocines la cena antes de que te vayas a la fiesta en casa de tu amigo. Ella sabe que ya vas tarde, pero te lo está pidiendo porque no se ha sentido muy bien ese día. ¡Y eso está bien! Por desgracia, el problema surge cuando ella pide que le hagas la cena, aunque esté sintiéndose bien, cada vez que debes ocuparte de otros asuntos importantes.

Qué es lo que pensarán de ti si les dices que no.

Tienes miedo de que, si te niegas, serás percibido como alguien con quien es difícil llevarse o que no tiene muy buena actitud.

Bueno, tus intereses propios y los de aquellos que trabajan contigo podrían ser radicalmente diferentes. Pero aun así cedes a sus deseos y comprometes tus valores para que no piensen mal de ti.

Dar el sí está en tu naturaleza.

Quizás eres alguien bondadoso a quien le gusta decir "sí". Es parte de tu personalidad y valores, no es que estés de acuerdo con tu jefe solo porque es tu superior en rango.

Te gusta ser tan útil como puedas serlo. Piensas en otros, en sus necesidades y su tiempo, como mucho más valiosos que los tuyos. Y entonces no importa qué te pidan. Preferirías decirles que sí.

Si bien esta parece una buena actitud, puede aplastarte si la llevas al extremo. Siempre es bueno adoptar un enfoque balanceado para conservar tu energía y tiempo. Solo así podrás ayudar a los otros de la forma que quieres, y por el tiempo que desees.

Decir que sí es más positivo que decir que no.

El mundo de hoy se vuelve cada vez más negativo. Así que si quieres tener un poco de positividad en tu vida, eres tú quien debe ponerla allí. Ttendrás que hacer un gran esfuerzo consciente por negarte a todas esas cosas que no quieres hacer.

Todo el mundo está diciendo que sí.

¿Y esto qué significa? Supón que estás en una fiesta de la oficina y todos excepto tú disfrutan de las bebidas alcohólicas. No bebes ni una gota porque va en contra de tus valores. Pero como quieres encajar con tus colegas y no sabes decir que no, terminas ignorándolos y bebiendo.

La inabilidad para reconocer la dimensión del compromiso.

Imagina que aceptaste muchos proyectos de la oficina. No te negaste a ninguno porque pensaste que los terminarías todos para el fin de semana. Esto sucede porque las cosas pueden parecer muy fáciles en un principio, pero, a la hora de sentarse a trabajar en ello, son mucho más complicadas.

Para regresar el favor.

Si alguien te hace un favor, te sientes obligado a regresarlo de alguna forma. Así funcionan la psicología humana y el poder de la reciprocidad. Ojo, no hay nada malo con pedir o regresar un favor. Pero necesitas reflexionar sobre cómo lo devolverás. No querrás terminar haciendo algo que esté más allá de tus capacidades o del tiempo que deberías dedicarle.

Para probar tu valía.

Las personas que tienen baja autoestima o que carecen de seguridad en sus trabajos por lo general son más proclives a decir que sí para poner a prueba su valía.

Siendo así, necesitas pensártelo bien cada vez que aceptes una solicitud.

Quiero que tengas muy claro que todos los motivos anteriores no son leyes. Son solo ideas y opiniones que pudiste haber aprendido al crecer. Todas ellas puedes cambiarlas por una opinión sólida y verdadera que sea más afín a la idea de poder decir "no".

¿Cuál es la verdad sobre decir "no"?

Sustituye tus antiguas ideas y opiniones con las siguientes:

- Los demás tienen derecho a pedir y yo tengo derecho a negarme. No tengas miedo de que otros puedan enojarse si declinas su petición.
- Al decir "no", se rechaza la petición no a la persona.
- Cuando digo "sí" a algo, en realidad estoy diciendo "no" a otra cosa. Siempre tengo elección.
- Los problemas surgen porque pienso que será muy difícil que la otra persona acepte que me he negado. Pero si expreso honesta y abiertamente mis sentimientos, la otra persona también se sentirá libre de expresar los propios.
- Declinar la petición de alguien no significa que él/ella no pueda hacerme más solicitudes.

Cómo volverte mejor para decir "no".

Una vez que hayas identificado las razones personales que te frenan para decir "no", es tiempo de que utilices las siguientes técnicas:

- Practica decir "no" en situaciones pequeñas o sin importancia, por ejemplo rehusarte a comprar algo en la farmacia.
- Detente y respira antes de decir "sí". Esto te dará un poco de tiempo para que valores y seas fiel a tus propias necesidades.
- Apóyate en el consejo de alguien más si sientes que es necesario. Más delante profundizaremos respecto a esto.

- No te enredes en la trampa del "todos los demás". Es casi universalmente cierto que todos están haciendo lo mismo o que desean que hagas lo que sea que te estén pidiendo.
- Concédete un minuto para preguntarte si es que sentirás culpa, ansiedad, decepción o cualquier otra emoción si no aceptas hacer lo que te piden. ¿Puedes tolerarlo? ¿Vale la pena hacer lo que te piden solo para no sentir esas emociones?
- Valora el resultado. ¿Qué tan malo será? ¿Vale la pena que cedas?

Para que te vuelvas mejor en el arte de decir "no", ten presente que puedes cambiar de opinión en la mayoría de los casos. No sientas que solo cuentas con una oportunidad, tendrás muchas más.

Contar con un respaldo a la hora de decir "no".

Muchos de nosotros nos sentimos mucho mejor si, al momento de decir "no", contamos con el respaldo de algunos amigos o personas de confianza.

Sigamos con los ejemplos antes expuestos:

Jennie habló con sus amigos acerca del comportamiento de sus padres respecto al matrimonio. Ellos la ayudaron a que entendiera las preocupaciones de sus padres, pero también le ayudaron a que encontrara las palabras idóneas para expresar su sentir personal al respecto. Los amigos de Susie le sugirieron algunas técnicas para rechazar a los hombres, por ejemplo, no contestarles las llamadas o inventar alguna excusa para no seguir adelante. Susie no estuvo de acuerdo con eso porque se dio cuenta que decir "no" de manera amable pero decidida, forma parte del proceso y que eso no la vuelve mala o mezquina.

Susan habló también con un par de amigos que no formaban parte del grupo que quería beber. Ellos la apoyaron en que sería una pérdida de tiempo y dinero que fuera a hacer algo que la dejaría con resaca y que afectaría su desempeño en el trabajo al día siguiente. Coincidieron en que las chicas solo buscaban compañía y no notarían la ausencia de Susan.

Susan simplemente se negó y tras un par de intentos de convencerla, las chicas la dejaron en paz. Y nada de eso afectó el modo en que ellas la trataron en el trabajo.

¡Ahora viene la parte difícil!

¿Cuál es la manera correcta de decir no?

Aún las personas asertivas suelen encontrarse a sí mismas en situaciones en las que dicen sí a cosas que no quieren hacer. Esto puede ser conveniente en ciertas situaciones. Si tu jefe te pide que hagas algo, y tú de verdad no quieres hacerlo, ¡no es recomendable que pongas en práctica tus habilidades asertivas para negarte! - ¡no quieres que te despidan!

Pero te sobrecargarás si un amigo te pide que hagas algo para lo que no tienes tiempo, y tú aceptas.

Echemos un vistazo a algunas de las consecuencias que trae el no ser capaz de negarse:

- Aunque la persona no haya hecho nada malo al pedirte algo, le abres la puerta al resentimiento y la ira. Estos sentimientos van creciendo conforme el tiempo pasa, hasta que llegan a un punto en el que no puedes soportarlos más.
- Te frustras y decepcionas cada vez más contigo mismo.
- Puedes sentirte explotado y estresado si aceptas más de lo que puedes manejar.
- Podrías sufrir de baja autoestima, depresión y ansiedad en el largo plazo.
- Bajo distintas circunstancias, algunas personas son capaces de negarse, pero lo hacen de manera agresiva, sin considerar o respetar al otro. Esto puede causar que te marginen y te vuelvas antipático, lo que no es bueno para una comunicación asertiva.

Hay algunos principios básicos a tener en cuenta cuando quieras negarte:

- Exprésale que encuentras complicado el acceder a su petición.

- Sé directo y honesto, no grosero.
- Sé amable. Di algo como "gracias por pensar en mí, pero…"
- Mantelo breve. No te extiendas demasiado en el porqué de tu negación.
- Habla lentamente, con afecto y compasión.
- No te disculpes por tu decisión ni entres en demasiados detalles.
- Hazte responsable cuando digas "no", no pongas pretextos ni culpes a otros.
- Si es necesario, provee de algunas alternativas de solución para el problema de la otra persona.

Recuerda que tienes derecho a decir "no", si hay cosas que no quieres hacer. Además, es preferible que seas honesto desde el principio, en lugar de obligarte a dar un "sí" que alimentará a la ira y el resentimiento en ti.

Maneras apropiadas para decir "no".

Existen distintas maneras de decir "no", y cada una es conveniente según la situación en la que te encuentres.

- **El "no" directo** – Se utiliza cuando alguien te pide algo que no quieres hacer. Solo dilo sin más. Si bien es algo enérgico, es muy efectivo para aplicarlo a vendedores.
- **El "no" reflexivo** – Aquí sientes y reconoces el contenido de la petición, pero al final das una negativa asertiva. Por ejemplo, "sé que estás emocionado por el viaje a Goa, pero no puedo asistir."
- **El "no" razonado** – Al usar esta técnica, das una breve y sincera razón del por qué te niegas. Por ejemplo, "no puedo ir contigo de compras porque mañana tengo que entregar una tarea."
- **El "no" en este momento"** – No es un "no" definitivo. Puede que te niegues a hacerlo en el presente, pero dejas abierta la posibilidad de acceder en un futuro. Sin embargo, solo debes hacerlo si de verdad quieres aceptar la solicitud. Por ejemplo, "hoy no puedo ir a conocer a tus padres, pero podríamos ir algún día de la semana siguiente."

- **El "no" en forma de pregunta** – No es un "no" rotundo, se usa para averiguar si existe alguna otra forma de cumplir con la solicitud. Por ejemplo, "¿hay algún otro vestido que pueda comprarte?"
- **El "no" de disco rayado** – Esta técnica puedes usarla cuando sea necesario que repitas tu negativa. Así de simple, sin explicaciones o disculpa alguna. Funciona muy bien para cuando te enfrentas a personas muy insistentes.

Cómo decir "no" en la esfera de los negocios

¿Has contado todas esas veces en las que aceptas un proyecto y terminas arrepintiéndote? ¿Todos esos proyectos se alinean con tus objetivos de negocio?

Pagarás un alto precio si no puedes negarte a dichos proyectos. Harás entregas a destiempo, perderás clientes, te agotarás física y mentalmente, vendrá la frustración y estarás estresado. Si por lo regular aceptas cada petición que se te lanza, te distraerás y perderás de vista tus objetivos. El precio es demasiado alto como para que te arriesgues.

Así que aprende cómo es que puedes cuidar de tu tiempo y energía en estas típicas situaciones de negocios, conociendo las maneras más adecuadas para responder.

El aprovechado es un prospecto agresivo que trata de persuadirte de hacerle el trabajo gratis. Instrúyelo sobre el valor de tu trabajo y cómo es que pueden pagarlo.

Convoca a una reunión formal con el prospecto, muéstrale tu plan de trabajo y determina si es que pueden trabajar juntos. Si las cosas no se resuelven para ti, mantén una actitud profesional y amistosa. Puedes compartirle algunos otros recursos de tu red o recomendarle libros, blogs o cursos. El prospecto agradecerá tu ayuda y honestidad. Por lo demás no tendrás nada que perder, pues el prospecto en primer lugar nunca tuvo intenciones de comprarte un servicio.

¿Qué se dice de un cliente que siempre hace cambios en el proyecto aún después de haber firmado la propuesta? ¡Que sufre del síndrome del lavadero! Estas personas a menudo piden cambios que amenazan con perturbar el cronograma del proyecto, y tu propia cordura.

Sé firme, claro y franco en la primera entrevista. Establece límites definidos para las solicitudes específicas que puedan surgir. Explica cuáles son tus políticas para después de firmado el proyecto (como rechazos, penalizaciones de tiempo, elevación del costo, etc.). Esto asegurará que el cliente, firmados los documentos, se lo pensará dos veces antes de solicitar un cambio.

La junta del callejón sin salida. Las juntas adicionales abarrotan tu agenda, consumen tiempo y te dejan mentalmente exhausto. Antes de acceder a una junta de este tipo, identifica en qué contribuirá para el avance del proyecto.

Tómate un minuto para consultar tu horario, analiza los pros y los contras de dicha junta y solo después dale una respuesta. Si notas que no vale la pena, simplemente declínala.

O si decirle que no es complicado o necesitas de más información antes de decidirte, búscala antes de que te comprometas. Y finalmente, si aceptas tener una junta, establece su duración límite.

Cómo te beneficia el decir "no" en el entorno de los negocios.

Te obsequias a ti mismo cuando dices "no" a esas cosas que no quieres hacer. Te libras de una agenda llena, reduces tu ansiedad y puedes enfocarte — tanto física como mentalmente — en lo que de verdad importa en tu negocio. Al decir "no", cuidas de tu energía y de tu recurso más valioso: el TIEMPO.

Decir "no" es un valioso activo.

Tarea para ti

Antes de que continúes al siguiente bloque, tengo tarea para ti:

1. Desarrolla una (o varias) situación de tu vida en la quieres decir "no" pero no puedes hacerlo.
2. Escribe la razón (o las razones) que está impidiéndote que lo hagas.
3. Recuerda la conversación que tuviste cuando cediste. ¿Qué fue lo que hizo que aceptaras? Después, imagina la misma conversación y practica decir un "no" lleno de confianza.

Resumen del capítulo.

- Declinar las solicitudes de otros en el momento y forma adecuados, es crucial para una buena salud, bienestar y para mantener sólidas tus relaciones.
- No queremos decirles "no" a los demás porque tememos al conflicto o que podamos herirlos o decepcionarlos.
- La ira, el resentimiento, estrés, la ansiedad y la baja autoestima son resultado de tu incapacidad para decir "no" en el momento correcto.
- La asertividad nos enseña a decir "no" de manera respetuosa a los demás, a la vez que respetamos nuestras propias necesidades.

En el próximo capítulo aprenderás:

- Qué son los límites
- Por qué deberías poner límites
- Aspectos en los que debes poner límites
- ¿Cómo poner límites saludables?

CAPÍTULO SEIS:

¿Qué tal están tus límites?

Desafortunadamente, los límites que nos ponemos no son visibles para los demás. No son murallas que podamos tocar, tampoco letreros de "no pasar". No obstante, debes establecerlos y hacérselos saber a los otros. Es imprescindible que procedas así para preservar tu bienestar físico y mental e incluso tu seguridad.

Debes poner límites en:

- Tu espacio personal
- Tu sexualidad
- Tus pensamientos y sentimientos
- Tus pertenencias
- Tu tiempo y energía
- Tu cultura, religión y ética

No hace falta ser un genio para establecer límites y para respetar los ajenos, pero, aun así, necesitas aprender a hacerlo. Ya sea que quieras establecer límites con tu familia o con extraños. Veamos cómo puedes comenzar.

Comprender y decidir tus límites

Normalmente las personas malentienden la palabra "límite". La entienden como una manera de mantenerse separados del resto. Pero lo cierto es que unos límites claros proveen pautas saludables para distinguir qué es lo que aceptarás en las relaciones personales y profesionales.

Los beneficios que obtienes al poner límites son:

Relaciones sanas y una autoestima mejorada.

Melissa Coats, consejera profesional licenciada, dice: *"Los límites evitan que las relaciones se vuelvan peligrosas. Más que alejarnos, en realidad nos acercan el uno al otro, y por eso es que son necesarios en todas las relaciones."*

Los límites permiten que te priorices a ti mismo, ya sea en tu cuidado, tu carrera profesional o en tus relaciones.

Los límites deberían ser flexibles.

Los límites no deberían de tallarse en piedra. Deberías reevaluarlos de tanto en tanto y hacer los cambios pertinentes. Unos límites demasiado rígidos o inflexibles traen más problemas que ventajas.

Los límites ayudan a que conserves tu energía emocional.

Cuando no puedes defenderte, pareciera que pierdes tu identidad. Tu autoestima se empequeñece, nace la amargura hacia los demás. Pero si tú estableces límites, estás en paz y conservas tu energía para cuidar de ti.

Los límites te dan oportunidad de crecimiento.

Nuestros sentimientos no siempre son sencillos. A veces son muy complicados. Establecer límites y romperlos cuando es necesario, muestra tu vulnerabilidad. El simple acto de hablar abiertamente sobre tus sentimientos complejos con tus amigos demuestra que eres auténtico. Y cuando eres así, das entrada a que otros también se abran contigo cuando lo necesiten.

Sin embargo, no confundas vulnerabilidad con compartir demasiado. La vulnerabilidad es genuina y hace que las personas se acerquen unas a otras. Que compartas demasiado es una forma de chantaje emocional y fuerza la relación con la otra persona.

Algunos indicadores de que se está compartiendo demasiado son:

- Atacar a alguien en las redes y medios sociales.
- No prestar atención a los filtros que dictan quiénes podrán ver tus dramas personales en los medios y redes sociales.
- Compartir detalles privados con nuevas personas, con la esperanza de que así se dará más rápido la amistad
- Conversaciones monopolizadas y unilaterales
- Esperar que los amigos y la familia te den terapia emocional cuando la necesites y requieras.

Al compartir demasiado, podrías estar pisoteando los límites de los demás.

Cómo poner tus límites

Poner límites no es como encontrar y verse un tutorial en Google. Cada uno de nosotros tiene sus propios y únicos límites.

¿Qué modela nuestros límites?

- Nuestra herencia o cultura
- En dónde vivimos o de dónde venimos
- Si somos introvertidos, extrovertidos o algún punto medio
- Nuestras experiencias de vida
- Nuestras dinámicas familiares

Todos tenemos dinámicas familiares diferentes. Cada uno entiende las situaciones de una manera distinta. Y los límites de todos nosotros cambian cuando crecemos o modificamos nuestra perspectiva. Un solo guante no le queda a todo mundo.

La introspección contribuye a que identifiques tus límites. Este conocimiento incluye:

1. ¿Cuáles son tus derechos?

Identifica tus derechos humanos básicos cuando sea tiempo de poner tus límites. Incluyen:

- El derecho a decir "no" sin sentirte culpable.
- El derecho a ser tratado con respeto.
- El derecho a considerar como iguales tus necesidades y las de otros.
- El derecho a aceptar tus errores y fracasos.
- El derecho a negarte a las expectativas irracionales ajenas.

Una vez que conoces y crees en tus derechos, se vuelve más fácil honrarlos. Cuando los honres, dejarás de malgastar tu energía en tratar de complacer a los que no respetan tus derechos.

2. ¿Qué te dice tu instinto?

Puedes distinguir perfectamente cuando alguien cruce tus límites o cuando sea necesario que pongas uno, basándote en tus sentimientos instintivos. Los síntomas como un pulso acelerado, la sudoración, una opresión en el pecho o los malestares estomacales te hacen saber que no estás a gusto con una situación y que deberías de poner un límite. Por ejemplo, ¿aprietas los puños si encuentras a tu compañero de cuarto leyendo tu diario? ¿Alguien te pregunta sobre tu vida de casado y aprietas los dientes?

3. ¿Cuáles son tus valores?

Tus límites y valores están estrechamente relacionados. Identifica diez de tus valores importantes y elige los tres que sean más significativos para ti. ¿Qué desafíos a estos valores te ponen incómodo? Con esto podrás saber si cuentas con límites saludables y firmes.

Establecer tus límites – poniendo manos a la obra

He aquí algunos consejos para poner límites:

1. Sé asertivo.

Ser asertivo al poner los límites demuestra que tu postura es firme y que, en realidad, estás siendo amable con los otros. Si usas el lenguaje asertivo no eres cruel, pero tampoco negocias, y haces todo esto sin criticar a la otra persona. Por otro lado, un lenguaje asertivo es duro y belicoso.

Hablar mediante declaraciones del "Yo" es señal de asertividad. Deja ver tu confianza y establece un buen límite pues estás expresando sin miedo tus pensamientos y sentimientos.

Por ejemplo, considera estos dos enunciados:

Uno: *¡No toques mi diario!*

Dos: *Me siento invadido cuando lees mi diario porque es ese espacio privado en el que anoto mis pensamientos íntimos.*

¿Cuál de las anteriores crees que hará que respeten tu privacidad? La segunda, por supuesto, porque es clara, no negocia y deja en evidencia lo que quieres y por qué lo quieres.

2. Desarrolla el hábito de decir "no".

Como ya dijimos antes, cuidas de ti mismo cuando dices "no". No necesitas darles explicaciones.

3. Cuida tus espacios.

Establece límites respecto a tus efectos personales, tus espacios físicos y emocionales, así como a tu tiempo y energía. Echa mano de tus dispositivos electrónicos para realizarlo.

- Guarda tus artículos privados en un cajón o caja.

- En lugar de un diario de papel, usa un diario digital protegido por contraseña.
- Programa un tiempo no-negociable para estar solo o para hacer lo que amas.
- Usa contraseñas u otras modalidades de seguridad en tus dispositivos y cuentas digitales.
- Establece un tiempo específico para contestar a los correos o mensajes de texto.
- Haz uso de la etiqueta "fuera de la oficina" en tus cuentas de correo cuando estés de vacaciones.
- Confirma tus días libres por adelantado.
- Elimina temporalmente las aplicaciones de correo y mensajes cuando no quieras que te contacten.
- Utiliza la característica de "silencio" en tu teléfono y otros dispositivos.
- Prométete que no responderás mensajes o llamadas que entren a tus cuentas personales.

Puede que otros esperen que respondamos a los correos de trabajo fuera de las horas laborales. Por desgracia, esto puede tener un efecto negativo en tu bienestar y en tus relaciones. Así que esfuérzate en cada oportunidad por lograr un balance entre tu trabajo y vida personal.

Como adulto, también tienes el derecho de asegurar la privacidad de tus cuentas de correo y mensajes. También hazles saber a otros cuáles son tus límites con los dispositivos electrónicos.

4. Pide ayuda.

Si sufres de alguna enfermedad mental, tienes ansiedad, depresión o has vivido algún trauma, puede que te sea difícil que definas y hagas valer tus límites. En dichos casos, haz cita con un profesional de la salud mental.

Cómo reconocer y honrar los límites de los demás.

Así como es importante honrar nuestros límites propios, es igualmente importante que reconozcamos y honremos los ajenos para no sobrepasarlos.

¿Cómo lo hacemos? Solo sigue estas tres reglas:

1. Presta atención a las señales.

Tomar nota de las señales sociales te ayudará a identificar los límites ajenos. Si alguien no está cómodo con tu proximidad, dará un paso atrás cuando tú des un paso adelante al conversar con él/ella.

Estas son algunas de las señales de que quieren que les des espacio:

- No hacen contacto visual.
- Se vuelven o desvían hacia los lados.
- Dan un paso atrás.
- Dan respuestas breves.
- Asienten demasiado.
- Adoptan un repentino y agudo tono de voz.
- Reflejan nerviosismo en sus gesticulaciones de manos o hablando rápido.
- Cruzan los brazos o parecen estar rígidos.
- Se encogen.

2. Estate atento a los comportamientos neurodiversos.

La neurodiversidad y sus comportamientos típicos son exhibidos por personas con autismo, dislexia, el trastorno por déficit de atención con hiperactividad y otras discapacidades del desarrollo. Estas personas tienen ciertos gestos o hacen poco contacto visual o tienen dificultades para iniciar una conversación. Considera dichos comportamientos cuando hables con alguien con discapacidades del desarrollo.

3. Pide permiso.

Nunca subestimes el poder de las preguntas. Siempre pide permiso antes de hacer contacto físico, por ejemplo un abrazo, o para hacerle una pregunta personal a la persona.

Los límites están ahí para ayudarnos.

Los límites deberían de concebirse como una herramienta de refuerzo para nuestras relaciones, en lugar de verlos como barreras que alejan a la gente. Los límites van más allá de ser una herramienta, pues nos ayudan a identificar comportamientos que puedan dañarnos. Con frecuencia no hacemos caso a nuestro instinto porque lo creemos poco razonable, pero si constantemente estamos sintiendo que algo es incómodo o peligroso, es una señal de alerta.

Si alguien presiona o cruza tus límites una y otra vez, ponte alerta. También pídeles a las personas en tu vida que te hagan saber honestamente si llegas a presionar por accidente sus límites.

A veces no funcionan los límites

Poner límites es una forma avanzada de asertividad. Conlleva adoptar una postura respecto a quién eres, determinar qué es lo que estás dispuesto o no a hacer y cómo quieres ser tratado en las relaciones.

No obstante, aunque hayas establecido límites, ¡a veces no funcionan! Pese a tus esfuerzos, ¡los sobrepasan o ignoran! Esto te frustra, pero no siempre es culpa de la otra persona. Te diré por qué tus límites no funcionan a pesar de que los comunicas asertivamente:

- Pusiste el límite desde la ira o la queja. Por ejemplo: "Te he dicho cientos de veces que..."
- Tu tono es más crítico o acusatorio, en vez de ser firme.
- No estableciste las consecuencias que conllevaría la violación de tu límite.
- Retiras tu afirmación cuando te desafían con razones, ira, amenazas, insultos o te aplican la ley del hielo.

90

- Tus consecuencias dan miedo o no son muy realistas como para llevarlas a cabo.
- No aprecias lo suficiente a tus necesidades y valores.
- No siempre eres coherente con las consecuencias; es decir, no las pones en práctica todas esas veces que alguien sobrepasa tus límites.
- Cedes y simpatizas con el dolor de la otra persona, y terminas poniendo sus necesidades y sentimientos por encima de los tuyos.
- Cuando con tus consecuencias insistes en que sean los otros quienes cambien. Las consecuencias no son para que castigues o cambies el comportamiento de alguien más, sino que, más bien, *son para que cambies tú.*
- Careces de una red de apoyo que refuerce tu *nueva conducta.*
- Tus palabras y acciones se contradicen. Recuerda que las acciones pesan más que las palabras. Hacer cosas que recompensen a la persona que cruzó tu límite, demuestra que no hablas en serio. Por ejemplo:

  ❖ Le dices a tu vecino que debe llamarte antes de ir a tu departamento, pero igual dejas que pase cuando se presenta sin invitación.

  ❖ Le dices a alguien que no te llame después de las nueve de la noche, pero de todos modos le contestas el teléfono.

  ❖ Les dices a tus colegas que no te envíen correos el domingo, pero de todas maneras se los contestas.

  ❖ Te quejas y protestas sobre un comportamiento que no te gusta, pero no tomas medidas para resolverlo.

¿Qué puedes hacer?

Es crucial que mientras estés estableciendo límites, identifiques tus sentimientos, necesidades y valores (por ejemplo honestidad, fidelidad, privacidad y respeto mutuo). ¿Los invalidas o los respetas? Una vez que conozcas tu zona de confort, te será fácil determinarlos. Evalúa tus límites actuales de todas las áreas, teniendo en cuenta los siguientes aspectos:

¿Qué clase de comportamientos particulares que violan tus valores o comprometen tus necesidades y deseos has permitido?

- ¿Cómo te afectan a ti y a tus relaciones?
- ¿Podrás arriesgarte y esforzarte para mantener tus límites?
- ¿Cuáles son los derechos que crees tener?
- ¿Has dicho o hecho algo que no funcionó? ¿Por qué fue así?
- ¿Con qué consecuencias puedes vivir si alguien cruza tus límites? Cumple siempre con tu palabra, no seas el perro que ladra y no muerde.
- ¿Cómo manejarás la reacción de otra persona?

Necesitas tener la convicción de que los límites son necesarios y adecuados, para poder mantenerlos y hacer que funcionen. Esta convicción nace al darte cuenta de lo mucho que afectará en tus relaciones y en tu salud, el no establecer límites.

Aspectos en los que necesitas poner límites

Hay algunos aspectos en los que los límites son aplicables:

- Límites materiales para decidir qué objetos puedes dar, tales como dinero, autos, ropa, libros, comida, etc.
- Límites físicos para salvaguardar tu cuerpo, espacio personal e intimidad. ¿A quiénes y cuándo, das un apretón de manos o un abrazo? ¿Cómo reaccionas a la música a altos volúmenes, a la desnudez o a las puertas cerradas?
- Los límites mentales se aplican a tus pensamientos, valores y opiniones. ¿Conoces tus creencias? ¿Puedes permanecer firme en tus opiniones? ¿Eres capaz de escuchar abiertamente a alguien más sin volverte inflexible?
- Los límites emocionales distinguen entre la separación de tus emociones y su responsabilidad de los demás. Los límites saludables evitan que culpes o permitas que los demás te culpen.

Tú no le cargas tus sentimientos negativos a nadie. También te protegen de sentirte culpable y de tomarte demasiado a pecho sus comentarios. Si reaccionas con emociones intensas, discusiones o te pones a la defensiva, puede que tus límites emocionales no sean muy fuertes.

- Los límites sexuales se hacen cargo de tu nivel de comodidad en el plano del contacto y la actividad sexual.
- Los límites espirituales se relacionan con tus creencias y experiencias de conexión con un poder supremo.

Límites internos.

Los límites internos regulan tu relación contigo mismo. Considéralos como los gestores de tu autodisciplina y sano manejo del tiempo, así como de tus pensamientos, emociones, comportamientos e impulsos.

Si procrastinas o haces cosas que no debes ni tienes ganas de hacer, o trabajas de más sin darte un descanso adecuado, estás descuidando tus límites físicos internos. Si no puedes manejar los pensamientos y sentimientos negativos para conservar tu equilibrio, puede que tus límites emocionales internos sean débiles.

Los límites internos físicos y emocionales te ayudan a no obsesionarte con los sentimientos y problemas ajenos. Piensas para ti y te das prioridad, en lugar de aceptar los consejos o críticas de otros. Puesto que te haces responsable de tus propias acciones y sentimientos, no le echas la culpa a otros. Si alguien quiere culparte y tú no te sientes responsable, en lugar de defenderte o disculparte, puedes decirle "no soy responsable de eso."

Culpa y resentimiento.

Si te sientes victimizado o resentido y culpas de esto a las personas o a las situaciones de tu vida, significa que no has establecido límites. Si te sientes ansioso o culpable al ponerlos, recuerda que tus relaciones podrían verse afectadas en cuanto lo hagas. Los límites te empoderan, disminuyen tu ansiedad y te liberan de culpas o resentimientos. Además, los otros te respetarán más y eso hará que tus relaciones mejoren.

Cómo establecer límites saludables

Sigue estos pasos:

Recuerda, límites inexistentes = baja autoestima.

El autoconocimiento y la asertividad son lo primero que hay que tener en cuenta al poner límites. Tus límites son tus valores. Muestran cuan mucho o poco te respetas a ti mismo. Los límites son como tus mejores amigos.

Decide cuáles son tus valores centrales.

¿Quién eres? ¿Cuáles son tus valores? ¿Cuál es tu zona de confort y qué te hace sentir incómodo? A mí, por ejemplo, no me gusta que me molesten mientras trabajo en mi ordenador portátil. Así que pongo mi teléfono en "silencio". En mis relaciones espero y valoro la honestidad, el tiempo de calidad y la transparencia total. Una vez que tengas en claro qué es lo que más te importa, puedes dar el siguiente paso de comunicárselo a los demás.

Consejo de experto: En lugar de ponerle límites a una relación difícil, haz que esos límites sean para ti. Por ejemplo, la razón detrás del límite con mi teléfono reside en que suelo perder la concentración si me distraigo durante mi ocupado horario de escritor. Este límite me sirve para disminuir mi estrés y frustración, no para eludir llamadas.

No puedes cambiar a los demás, pero sí puedes cambiarte a ti.

Todos queremos que el otro cambie. Discutimos con nuestras parejas, padres o compañeros con la esperanza y deseo de que ajusten sus modos. Aunque sabemos que no es posible, aún a veces lo intentamos. Recuérdate siempre que no eres responsable de las palabras, decisiones o reacciones ajenas.

¿Entonces cuál es la clave?

Dado que las personas no serán como tú quieras, opta por modificar la forma en la que te relacionas. Cuando cambiamos nuestras maneras, el mundo a nuestro alrededor también cambiará.

La organización espiritual Brahma Kumaris recomienda que el primer paso consiste en que des un giro radical a *tus* opiniones sobre la otra persona. Luego, que pienses bien de ella sin importar cómo se comporte de allí en adelante. Esto hará que tú te portes diferente con ella, y así la motivarás al cambio. ¿Verdad que suena bien esta reacción en cadena?

Decide por adelantado las consecuencias.

¿Qué es lo que harás si alguien cruza tus límites (porque lo hará)? Determina las consecuencias y comunícalas claramente. Pero no hagas amenazas vagas y no lo dejes pasar cuando suceda.

Por ejemplo, si mi amigo me llama repetidas veces durante mi horario de trabajo, simple y sencillamente no contesto el teléfono. Sentarte con tranquilidad a priorizarte a ti mismo es la manera más eficaz que existe para comprender tus límites y las consecuencias que vendrán si no se respetan. Recuerda que el objetivo de los límites reside en honrar tus necesidades, no en juzgar las elecciones de otras personas.

Deja que tu comportamiento hable por ti.

Presenta tus límites a las personas y deja que tu comportamiento haga el resto. Los demás *pondrán a prueba*, presionarán y sobrepasarán tus límites. Pero tú necesitas perseverar y darle seguimiento a las consecuencias que hayas establecido con anterioridad cada vez que alguien cruce los límites que hayas establecido para ti mismo.

Cuando no reaccionas con ira porque alguien cruzó tus límites, demuestras que eres más sano emocional y físicamente.

Di lo que quieres, haz lo que dices.

Puede que te hayas establecido los límites más sanos, pero si no los comunicas claramente, harás que les sea sencillo manipularlos. Incluso las relaciones se volverán confusas para ti y los que te rodean.

Cuando dices una cosa y haces otra, das motivo a que la gente cuestione tu carácter o autenticidad. ¿Para qué te arriesgas?

En ocasiones tenemos miedo de enfrentar a nuestros seres queridos, de decirles la verdad sobre nuestros sentimientos. Nos da miedo admitir que detestamos ir a comer a determinados restaurantes o que no nos gusta pasar tiempo con el primo tóxico de un amigo, o que odiamos cuando el jefe nos deja caer el bombazo de la fecha de entrega un viernes a las seis de la tarde.

Ten presente que entre más firme estés en tus límites y valores, con más claridad podrás hacérselos saber a otros.

Cómo hablar acerca de tus límites: La técnica AEAC

¡Ding dong!

¡Sí, ese es el timbre de tu casa! Pero, ¿qué pasaría si se escucha a horas inoportunas? ¿Y si este timbrado a malas horas fuera siempre obra de la misma persona?

A mi madre, ama de casa apasionada, eso le pone los nervios de punta. ¿Sabes por qué? Puedes culpar a nuestra vecina. Cada segundo día a las dos y media de la tarde, sus hijos tocan el timbre para preguntarnos si sabemos dónde está su madre, o para saber si ella les ha dejado las llaves de la casa con nosotros. A esa hora mi mamá toma su siesta. Madruga mucho todos los días y después del almuerzo, ya acabados todos sus pendientes, tiene ganas de relajarse tomando una pequeña siesta.

Gracias a la vecina y a sus niños, casi nunca puede tener una siesta sin que la molesten. Pese a que ya se quejó con la vecina, todo sigue igual.

"¿Qué no puede darles la llave de repuesto? Ya son lo suficientemente mayores. ¿Por qué ella no está en casa cuando sus hijos salen de la escuela? Interrumpen mi sueño a diario." Eso es lo que mi mamá constantemente murmura entre dientes para sí misma. Y por supuesto que es así, porque ha reaccionado pasivamente al comportamiento de nuestra vecina. No quiere gritarles, pero decirles que no la molesten tampoco ha funcionado.

¿Debería continuar aceptando tal comportamiento? ¿O debería gritarles para que dejen de hacerlo?

Bueno, ninguna de estas opciones parece ser la indicada! Ser pasiva y aceptar el comportamiento irrespetuoso la pone furiosa; lo único que pasa aquí es que no lo expresa. Pero no será capaz de contenerlo más. Y ponerse a gritar no ayudará en nada. Solo echará a perder la relación.

¿Esto te resulta familiar? ¿Te ocurre algo similar? ¿Cómo lo abordas? ¿Cómo deberías manejar a la gente cuando no te valora?

Pon en práctica estos cinco pasos:

Paso Uno: Determina tus límites.

Decide tus límites y apégate a ellos. ¿Qué comportamientos estás o no dispuesto a aceptar de los demás? Eso no implica que tengas que ser inflexible pero sí que te pongas límites y los respetes.

Paso Dos: Que perdones no significa que no vayas a tomar medidas.

Muchos de nosotros tenemos una naturaleza compasiva. Así nos han enseñado a ser. El perdonar es una cualidad de valentía y contribuye al cambio en la persona. Pero si estás perdonando una y otra vez el mal comportamiento de una persona, solo empeorará. Y esto, por supuesto, no les hace ningún bien. Al perdonar y aceptar constantemente el mal comportamiento de una persona, provocas que dicho comportamiento *deje de ser* así a los ojos de la persona.

Los estudios muestran que las personas que insultan a sus cónyuges, que arrojan cosas o que hacen gala de algún otro tipo de comportamiento violento, se vuelven más agresivas si sus parejas les perdonan muchas veces dichas acciones.

Aunque el perdón pueda convencer a otros de que cambien, debe estar acompañado de una acción adecuada. Por adecuada me refiero a establecer un límite de tolerancia, no a portarse agresivos.

¿Cómo estableces este límite al mal comportamiento?

Paso Tres: Practica con la técnica AECA.

El ejercicio de la asertividad, ya sea que lo practiques con tu colega, una pareja irrespetuosa o con tu vecino quejoso, necesita de una estrategia. La asertividad es comunicación pacífica y clara, no una embestida verbal.

A menudo, cuando estamos molestos por la conducta de alguien más, alzamos la voz o gritamos. Pero podría ocurrir que ellos en verdad no tengan idea de qué se esconde detrás de nuestro mal humor. La gente no es adivina, así que no esperes que *sepan por arte de magia* que estás disgustado. Ponlos al corriente de tu mal humor.

Practica la técnica "AECA", acrónimo que significa:

Avísale que quieres hablar sobre algo. Por ejemplo: "Quiero hablar contigo acerca de esas respuestas que me das en frente de mis amigos". No busques culpables ni uses un lenguaje emotivo al abordar la cuestión.

Expón tu problema. Continúa con qué y por qué es un problema: "No me gusta que te pongas contestona. Me siento insultado y creo que te hace lucir grosera frente a mis amigos."

Convence de los beneficios de un mejor comportamiento. Di "si en otra ocasión no estás de acuerdo conmigo, será mejor para ti que lo hablemos en privado. Parecerás más madura y resolverá nuestro conflicto."

Anima a que se comprometa a portarse mejor. "¿Estamos de acuerdo en que, de hoy en adelante, no me hablarás de esa forma? En que si quieres hablar conmigo sobre algo, ¿lo harás cuando estemos los dos solos?"

Si en el futuro reinciden con la mala conducta, recuérdales en qué acuerdo quedaron.

Nota la claridad de este tipo de comunicación. En ningún momento has aceptado pasivamente el comportamiento o has perdido los estribos.

Esta comunicación asertiva es una manera muy efectiva y poderosa de corregir la mala conducta de alguien. Aunque no modifiquen sus modos (al menos no de inmediato), has expresado abiertamente tus límites y les has concedido la oportunidad de portarse mejor.

Paso Cuatro: Mantén la calma.

Esto es súper importante. Es normal que te enojes cuando la gente sobrepasa tus límites. Pero guardando la compostura, tú puedes manejar la situación. Y para eso necesitas estar *calmado*. En el momento en el que empieces a criticar, gritar y sollozar, das pie a que el otro se ponga a la defensiva. Guardar la calma en estas situaciones toma algo de práctica. Por eso es tan importante que ensayes lo que vayas a decir.

Paso Cinco: Habitúate a la honestidad.

Todos hemos recibido de un pariente o amigo ese regalo pésimo que no nos gusta, pero fingimos que es genial. Lo hacemos porque pensamos que, si decimos la verdad, heriremos sus sentimientos. Pero siendo honesto, ganarás en respeto para ti y para los demás. En última instancia, la honestidad ayudará a que la otra persona juzgue y evalúe su comportamiento. Las personas no se verán obligadas a vivir bajo la premisa falsa de que su comportamiento está bien, cuando no es así en realidad.

A veces necesitas ayudarte de un lenguaje directo, claro y conciso.

¿Qué hay de ti?

1. ¿Ya pusiste límites en el trabajo y las relaciones? Si no lo has hecho, ¿qué te lo está impidiendo?
2. ¿En cuáles situaciones sientes que las personas no respetan tus límites?
3. ¿Cómo reaccionas cuando esto sucede? ¿Tomas medidas concretas o los perdonas y dejas que vuelvan a hacerlo?

Resumen del capítulo

- Tú puedes establecer límites en tu espacio personal, pertenencias, sexualidad, pensamientos y sentimientos, tiempo y energía, en la cultura, tu religión y ética.
- Unos límites saludables y respetar los ajenos mejora tu autoestima, conserva tu energía emocional, te da oportunidades de crecimiento y construye relaciones sanas.
- No obstante, tus límites no funcionarán si los estableces desde la ira, son inflexibles, si criticas a otros o no decides las consecuencias de sobrepasarlos.
- Expresa y haz valer tus límites haciendo uso de la técnica AECA.

En el próximo capítulo aprenderás:

- Por qué te resulta difícil expresar tus sentimientos.
- Consejos para abrirte y hablar acerca de tus sentimientos.
- Técnicas para expresarte.
- La fórmula de la comunicación asertiva.

CAPÍTULO SIETE:

Expresión personal asertiva

Expresar lo que sientes y cómo lo sientes es la segunda categoría de un comportamiento asertivo. No obstante, la expresión franca de los sentimientos no es sencilla para todos. Típicamente, los hombres tienen más problemas para expresar sus emociones, pero la verdad es que a todos, en algún momento de sus vidas, les ha sido complicado hablar de cómo se sienten.

Cuándo es complicado expresar cómo te sientes

Que conozcas la razón que se esconde detrás de tus problemas para expresar tus sentimientos te será muy útil para que le pongas remedio. Puedes aprender a hacerlo, así como puedes aprender a reparar el grifo o coser un botón.

He aquí las nueve razones más comunes del por qué a las personas les parece difícil expresarles sus emociones a los demás:

No estás muy seguro de lo que sientes.

Una persona puede estar experimentando sentimientos como la tristeza, el no sentirse respetado, dolor o vergüenza, pero es mejor ser preciso. Entender qué es lo que sientes te conecta contigo mismo, con los valores que posees y con aquellos bajo los que te gustaría regirte.

Además, también aumenta las posibilidades de que los demás te entiendan.

Miedo al conflicto.

Tienes miedo de sentirte enojado o de entrar en conflicto con la gente. Crees que las personas que mantienen buenas relaciones con otros, no deberían tomar parte en "peleas" verbales o discusiones acaloradas. Además, temes que las personas que te importan te rechacen si les revelas tus pensamientos y sentimientos.

A este fenómeno se le conoce a veces como "el efecto avestruz" — entierras tu cabeza en la arena en lugar de hacerte cargo de tus problemas de relación.

Perfeccionismo emocional.

Algunas personas piensan que no deberían sentir cosas tales como ira, celos, depresión o ansiedad. Creen que siempre deberían ser capaces de ser racionales y de tener el control absoluto de sus emociones. La expresión de estas emociones los volvería débiles y vulnerables. Tú tienes miedo a que la gente te critique o rechace si llegan a enterarse cómo te sientes en realidad.

Miedo al rechazo y la desaprobación.

Las personas le tienen tanto miedo a la soledad y al rechazo, que prefieren quedarse calladas y pasar un mal rato antes que hablar sobre sus sentimientos. Sienten una exagerada necesidad de complacer a los demás y de cumplir con sus expectativas. Tienen miedo de no agradarles si expresan sus opiniones y sentimientos.

Comportamiento pasivo-agresivo.

El comportamiento pasivo-agresivo hace que pongas pucheros y contengas tu dolor y enojo en lugar de comunicarlo. Aplicas la ley del hielo, que es la táctica inapropiada más usada para lograr que los otros se sientan culpables.

Desesperanza.

Cuando estás convencido de que hagas lo que hagas, tu relación no mejorará, dejas de expresarte. Echas la culpa a tu cónyuge (o pareja) porque es demasiado terco e insensible como para poner de su parte.

Estas creencias son profecías autocumplidas–una vez que te rindes, tu postura establecida de desesperanza te llevará al resultado pronosticado.

Baja autoestima.

Debido a una baja autoestima, las personas sienten que no tienen derecho a expresar lo que sienten ni a pedir lo quieren. En estos casos, siempre intentan complacer y cumplir las expectativas de los demás.

Espontaneidad.

Si crees que únicamente cuando estás molesto tienes derecho a expresar lo que opinas y sientes, así es como procedes en todos los casos. Pero por medio de un intercambio tranquilo o semiestructurado en el que expreses tus sentimientos no darás la impresión de que estás fingiéndolo o de que estás tratando de manipularlos.

Quieres que adivinen.

Esperas que otros sepan qué es lo que sientes y necesitas (aunque no se los hayas dicho). Esto te da una excusa para que te quedes callado y, a partir de entonces, te sientes resentido porque parece que a nadie le importan tus necesidades.

Martirio.

Tienes miedo de admitir que estás enojado, herido o resentido porque no quieres darle a nadie la satisfacción de que sepa que su comportamiento te ha afectado. Te sientes orgulloso de tener tus emociones bajo control, de sentir dolor o resentimiento, lo que obviamente no contribuye nada a una comunicación sincera y funcional.

Consejos para que te abras y hables.

Una vez que ya conoces por qué te cuesta tanto expresarte, puedes trabajarlo de una manera más efectiva y segura. Te daré algunos consejos que te ayudarán a sentirte más a gusto con la idea de abrirte a hablar sobre tus sentimientos:

1) Ten muy en claro por qué quieres compartir tus sentimientos.

Pregúntate por qué quieres compartir tus sentimientos en primer lugar. ¿Estás esperando un cambio en la otra persona? ¿Buscas desahogarte? ¿Quieres un consejo? ¿O lo haces para conocerte mejor?

Sé claro sobre tus motivos y expectativas cuando estés compartiendo tus sentimientos con un terapeuta, amigo o ser amado.

2) Reconoce que compartir los sentimientos es un acto íntimo.

Antes de que tengas una conversación real acerca de tus sentimientos es importante que reconozcas que es algo íntimo. El qué tanto confíes en ti mismo y en los demás, determina lo dispuesto que estarás a compartirles tus sentimientos.

3) Comienza con poco.

No te lances de lleno y de cabeza si no te sientes cómodo hablando sobre ellos. Intenta primero con las cosas que te cuesten menos.

4) Iníciate con las personas a las que les tengas más confianza.

Empieza a expresarles tus sentimientos a tus personas de confianza: un mejor amigo, un hermano o tus padres.

5) Sé consciente de la experiencia.

Toma nota de tu experiencia al compartir sentimientos, para que así puedas hacer que la próxima sea aún mejor. ¿En qué parte te sentiste más cómodo? ¿Hace que tengas más ganas de compartirlos la próxima vez? Si no es así, ¿qué necesitas hacer para sentirte más cómodo?

6) No olvides los efectos dañinos de reprimir los sentimientos.

Por último, recuerda que guardártelos no te hace ningún bien. Suprimirlos, minimizarlos o negarlos decrece tu disponibilidad para reconocer los ajenos. Reconocer y aceptar tu dolor es una forma de empatía, es una consciencia que aumentará tu capacidad de empatizar con los demás.

Técnicas para expresarte

A menudo las personas asocian la asertividad expresiva, con el pararse a defender los derechos de uno cuando alguien se ha aprovechado de nosotros. Sin embargo, ser asertivo también puede ayudarte a avanzar de manera positiva hacia tus objetivos.

La asertividad te ayuda a:

- Que hables cuando quieras en las reuniones
- A que puedas decir "no" cuando no quieras hacer algo, o
- A que expreses metas positivas y a que pidas los recursos que necesitas para llevarlas a cabo.

¿Obtendrás lo que quieres al comunicarte asertivamente? Bueno, nada es seguro, pero tendrás la satisfacción de que has hablado por ti de manera positiva y favorable. Te sentirás mejor contigo mismo y con tu comunicación. Si eres capaz de expresar lo que quieres y necesitas, esto aumentará las posibilidades de que lo obtengas.

Técnicas para la expresión asertiva:

Piensa por adelantado lo que vas a decir. Visualiza la situación y sé positivo.

Habla usando afirmaciones desde el "yo". Estas afirmaciones te ayudan a enfocarte en tus propios pensamientos, sentimientos y necesidades, así como a reconocer los ajenos. La clave de estas afirmaciones reside en los elementos del "yo siento", "yo quiero" o "yo pienso". Que identifiques tus pensamientos, sentimientos y deseos en relación a la situación impide que le eches la culpa a alguien o que te dejes llevar por la emoción. Evita las palabras y muletillas que debiliten el poder de tu mensaje, tales como *podría, perdón, no suelo, quizás, supongo, posible, tal vez, este...*

Por ejemplo: "Si me levantas la voz me siento despreciado y molesto, y eso afecta mi desempeño en el trabajo. Me gustaría que me hables con un tono normal y adecuado, para así poder trabajar mejor."

Sé como un disco rayado.

Repite varias veces tu petición para que tu mensaje sea visto como importante. No te rindas si fue rechazada la primera vez.

Por ejemplo, si has solicitado que tu archivo sea revisado y no has obtenido respuesta: "Entiendo que estés muy ocupado con... Aprecio tu aportación en mi archivo de proyecto, así podré terminar con mi cometido."

Sé empático y reconoce los sentimientos de otros.

Por ejemplo "Ya sé que quieres que termine con esta tarea para mañana, pero sencillamente no puedo porque tengo otros asuntos importantes que atender."

Anuncia lo que sucederá si no se modifica el comportamiento.

"Si no das suficiente tiempo para escribir el contenido, será menos efectivo de lo que necesitas que sea y tendré que escribirlo de nuevo. Preferiría no tener que hacerlo."

Reacciona a las críticas de manera no defensiva.

Es natural que cuando alguien te critica, él o ella esperan que te pongas a la defensiva, que estés en desacuerdo o que te resistas a lo que te dicen. Pero te digo que es posible que pongas en perspectiva los comentarios de crítica, al mismo tiempo que respetas tu punto de vista personal. Sin necesidad de estar a la defensiva, puedes estar de acuerdo con algunos aspectos de lo que se ha dicho.

Alguien dice: "Diste una presentación muy mala en la junta." Tú podrías responder "sí, tengo algunas áreas en las que podría mejorar."

Si puedes estar de acuerdo con ciertos elementos de la crítica, te será posible que respondas de una manera que te permita comprender qué es lo que los lleva a criticarte. Siguiendo con el ejemplo anterior, podrías preguntarle en qué puedes mejorar diciendo: "De hecho, pude haberlo hecho mejor. ¿Qué piensas que podría mejorar?"

Reconoce tus debilidades o errores.

Esto es llamado "afirmación negativa". Todos contamos con áreas en las que podemos mejorar. Pero puedes reconocer tus errores o debilidades sin hacerte sentir menos.

La fórmula de la comunicación asertiva: enviando un mensaje claro

No es raro que se confunda la confianza con la asertividad. Sin embargo, son diferentes en muchos sentidos.

Ser asertivo consiste en conducirte con confianza sin vacilar a la hora de expresar tus deseos y creencias. La confianza es definida como la característica de ser seguro de ti mismo y de tus habilidades.

La comunicación es la diferencia principal que las distingue. Puedes ser asertivo únicamente si hay algo o alguien a quien puedas dirigir esa asertividad, mientras que la confianza existe en el interior y en soledad.

La asertividad no puede existir sin una confianza subyacente, y sólo estará presente en una situación de comunicación. Puede ser proyectada a través de un buen lenguaje corporal, tono de voz y expresiones. La confianza, por otra parte, no necesita de nada externo para su existencia.

Para ponerlo más fácil, puedes tener confianza sin ser asertivo, pero no puedes ser asertivo si no tienes confianza.

Es por esto que hablar y expresarte puede llegar a ser complicado o incluso abrumador si eres es tímido, si te falta confianza o si vienes de una cultura en la que es inapropiado hablar por uno mismo. También puede resultarte raro o antinatural si estás acostumbrado a comunicar tus frustraciones y descontento de un modo indirecto o pasivo.

Pero recuerda que por muy difícil que sea superar tu miedo a hablar por ti mismo, no es algo imposible. Podrías ayudarte de una "fórmula de asertividad".

Puedes aplicar esta fórmula de asertividad en cualquier escenario del hogar y del trabajo. Aprendamos las tres partes de la fórmula de comunicación asertiva.

Comienza con una declaración breve, simple y objetiva acerca del comportamiento de la otra persona. "Si me interrumpes durante el trabajo…" El objetivo es que llames la atención de la persona sin que se ponga a la defensiva. Tu afirmación debería ser lo suficientemente corta, directa e impasible, como para ser escuchada sin motivar el desacuerdo o la separación.

Describe los efectos negativos de su comportamiento. Explica por qué su comportamiento está causándote problemas. Si la primera parte de la fórmula es "si me interrumpes durante el trabajo", puedes añadir "se me van las ideas". El truco aquí está en que construyas una lógica de causa-y-efecto. Relaciona la afirmación objetiva de su comportamiento con el efecto que causa en ti.

Termina con una afirmación sentimental. Aquí debes indicar que no sólo su comportamiento ofensivo ha afectado tus acciones, sino que también ha herido tus sentimientos. Un ejemplo de afirmación de sentimientos sería "me siento ansioso" o "me distraigo."

Poniéndolo todo junto, quedaría algo así: "Si continuamente me interrumpes durante el trabajo, se me van las ideas y me siento ansioso".

Claro que incluso con el respaldo de una fórmula, no siempre es fácil ser asertivo. Cabe la posibilidad de que el sujeto al que le envías el mensaje no se lo tome bien, así que debes enfrentarte a sus reacciones con un ánimo firme, tranquilo y seguro.

Lo que puedes hacer para reforzar tu afirmación sobre el comportamiento ofensivo de la persona, es acumular tanta evidencia como te sea posible. Podrías ir tomando nota de todas las veces en las que te sentiste herido, socavado u ofendido por sus acciones. No utilices esta evidencia para fastidiar a la otra persona, debes usarla como material de respaldo si refuta tus argumentos y necesita que la convenzas. Si haces esto aumentarás las probabilidades de que tu mensaje sea escuchado y, finalmente, lograrás el efecto deseado.

Algo que debes tener en cuenta es que el mensaje anterior no es universal. Tú puedes y deberías modificarlo a tu gusto para hacer que sea lo más auténtico posible.

Hablar por uno mismo es verdaderamente difícil para algunos de nosotros. Y nada asegura los resultados. Puede que el otro responda de manera positiva de inmediato; puede que responda exitosamente, pero demorándose un buen rato en hacerlo o que no lo haga en absoluto. Pero tú ya cuentas con una victoria significativa por el simple de hecho de tener el coraje para expresar tus opiniones y frustraciones.

Tarea para ti

Responde las siguientes preguntas antes de avanzar al siguiente capítulo.

1. ¿Qué es lo que te impide hablar acerca de tus sentimientos con los demás?
2. Si alguna vez expresaste tus sentimientos, ¿cuál fue la respuesta de la otra persona?
3. ¿Qué tan probable es que expreses tus sentimientos a la misma persona (o a otros) en el futuro?

Resumen del capítulo

- A la gente le resulta difícil expresar sus sentimientos porque no saben exactamente qué es lo que están sintiendo. Además, el miedo al conflicto, la desaprobación y el rechazo, o el perfeccionismo emocional, las conductas pasivo-agresivas o la baja autoestima también les impiden hacerlo.
- Una vez que tengas claros los sentimientos a compartir, empieza con los menos complicados. Hazlo con las personas en las que confíes más: un mejor amigo, un hermano o tus padres.
- Para expresarte asertivamente, primero planea lo que vas a decir. Empieza con una breve y objetiva afirmación acerca del comportamiento indeseable, describe cómo te afecta y al final, cómo te hace sentir. Recuerda permanecer calmado y empático a lo largo de la discusión.

En el próximo capítulo aprenderás:

- Cómo pedir lo que quieres.
- ERPM/La fórmula de una solicitud asertiva.
- Cómo pedir un aumento.
- Consejos para hacer preguntas asertivas.

CAPÍTULO OCHO:

Pide y recibe lo que deseas

Pedir lo que quieres

Aún si sabemos que nuestra solicitud es justa, a muchos de nosotros nos cuesta muchísimo pedir las cosas. Esto pasa especialmente en el trabajo. Podrás preguntarte qué irán a pensar de ti tus colegas. ¿Parecerás codicioso? ¿Presumido? ¿Se irritarán? ¡La lista nunca termina!

Si tú tienes problemas para pedir, debajo encontrarás siete consejos que te ayudarán a hacerlo:

Deshazte de la culpa.

Deja que se vaya cuando hagas una petición. La culpa es típica de aquellos que son complacientes y detestan causar inconvenientes a otros. Recuérdate siempre que pedir cosas no es señal de codicia ni está mal. Hacerlo es señal de que cuidas de ti mismo.

Comienza con poco.

Ya sabes, como pedir una mesa diferente en un restaurante. De este modo te acostumbrarás a la sensación de pedir algo pequeño. Y empezarás a darte cuenta que no pasa nada si expresas tus necesidades.

No creas que los otros son adivinos.

A veces pensamos que nuestro cónyuge, nuestros compañeros o nuestros amigos nos leerán la mente. Y entonces, cuando no actúan como queríamos, nos molestamos y sentimos heridos. Para que cualquier relación prospere, es necesario que las dos partes se hagan responsables de comunicar claramente sus necesidades.

Sé consciente de la otra persona.

La psicóloga Susan Krauss Whitbourne escribió que "hay que estar conscientes de las necesidades y de la persona a la que estamos pidiendo, en lugar de enfocarnos únicamente en lo que queremos obtener de la situación". Ponte en los zapatos del otro y serás capaz de construir de tal manera tu solicitud, que también le será beneficiosa. Esto aumentará tus posibilidades de que la acepte.

Pero si aplazas tu petición porque parece que nunca encuentras el momento adecuado para hacerla, tal vez sean tus propios sentimientos de insuficiencia e inseguridad los que te lo impidan.

Sé honesto.

La honestidad es siempre la mejor política. Expresa sinceramente qué y por qué lo necesitas, y asegúrale a la persona que no harás cambios más adelante.

Pide y recibirás... Pero tienes que pedirlo.

Se dice que "si quieres algo, tienes que pedirlo y correr el riesgo de no obtenerlo, de otra manera las probabilidades de no obtenerlo son, definitivamente, del ciento por ciento." Solo imagina las cosas que no tendrás en la vida si no tomas riesgos; desde trabajos, aumentos de paga, al autógrafo de un famoso.

Imagina el peor resultado posible.

Cuando tengas miedo de pedir algo, respira profundamente e imagina el peor resultado posible. Por lo regular, solo será un simple "no" que no es que vaya a ponerte en peligro mortal. Yo usé esta táctica cuando pedí un aumento de sueldo y te aseguro que me ayudó. En el peor de los casos, mis reclutadores me responderían educamente que no, pero yo aún tendría un trabajo al que estaría feliz de ir a diario. Estar en apuros por la simple tarea de poner en palabras lo que quieres puede ser increíblemente frustrante, pero te tengo una buena noticia: es una destreza que puedes mejorar y refinar con el tiempo.

La fórmula de una solicitud asertiva

Si deseas hacer una solicitud asertiva para pedirle a alguien que te dé lo que quieres o para que cambie su comportamiento, puedes hacer uso de la sencilla fórmula "ERPM". Este acrónimo representa Empatía, Respeto, Problemática y Meta.

Antes de que apliques la fórmula, es bueno que tengas una idea clara de tus metas. Cómo deseas que los otros se comporten, qué medidas tomar, cuál será su reacción y cómo responderás tú. De ser posible comunica tu solicitud asertiva en el tiempo y lugar que te sea conveniente.

Fórmula ERPM

Empatía, Respeto y afirmación de sentimientos positivos.

Antes de que hagas tu solicitud, hazle saber a la persona que estás tratando de comprender sus sentimientos.

Por ejemplo: "Sé que no podrás contratar a última hora a otro escritor autónomo que se encargue de esta tarea pero, espero comprendas que en este momento tengo demasiado trabajo."

113

Muestra que respetas y tienes consideración por la otra persona, reconoce esos elementos de su comportamiento que harán más probable que la conversación continúe por buenos y positivos derroteros.

Por ejemplo: "Te agradezco que siempre estés al pendiente de que me paguen a tiempo."

Expón tu problemática y sentimientos negativos.

Habla de tal manera que logres convencerlos de que resuelvan tu problema en lugar de volverse en tu contra. Pídeles ayuda, pero no les eches la culpa de tus sentimientos negativos. Si estás molesto por el comportamiento, no pierdas de vista que ese sentimiento es cosa tuya, y que tu reacción a dicho comportamiento es el único aspecto que puedes controlar. Dicho eso aún puedes expresar el problema y tus sentimientos negativos, y pedir ayuda después.

Iría así "Me siento herido y me pongo a la defensiva en lugar de abordar el problema cuando me culpas continuamente por mis errores pasados."

Declara la Meta y solicita una nueva conducta.

En ocasiones, simplemente expresar el problema no es suficiente. Puede que tengas que hablar sobre la meta que quieres alcanzar, así como del problema.

Afirma qué clase de nuevo comportamiento quieres que adopten y di cuál sería su impacto en ti. Sin embargo, tanto como sea posible, permite que ellos escojan el nuevo comportamiento. Si la acción está en sus manos es más probable que ayuden y sugieran soluciones. Incluso podrían encontrar una mejor solución que la tuya. Más que ponerlos a la defensiva, este enfoque los vuelve más considerados y dispuestos con tu problema.

Entonces tenemos: "En lugar de culparme por mis errores pasados, podrías decirme qué fue lo que hice y cómo puedo mejorar en el futuro. Así me sentiría menos atacado y más abierto a tus sugerencias."

Seguimiento después de la solicitud.

Si la persona le saca la vuelta a tu petición, te ataca, quiere manipularte, hace que te sientas enojado o culpable o simplemente se rehúsa a hacerlo, usa alguna otra de las técnicas asertivas como: el disco rayado, desarmar la ira o firmar un contrato.

Cuando uses esta última, anota todos los puntos en los que ambos estén de acuerdo (así como los posibles desacuerdos). El acuerdo debería ser escrito y firmado por las dos partes.

Asegúrate de usar un estilo de comunicación asertivo cuando pongas en práctica los pasos de la fórmula ERPM. No hagas que tú o los demás entren al modo defensivo. Intenta permanecer calmado, con la cabeza fría, y sé tan útil como puedas.

- Usa frases como "sigue haciéndolo así" o "no lo hizo de la forma que yo quería" o "esperaste a que tomara la decisión" o "dame retroalimentación negativa".
- Evita el uso de palabras de crítica como *trabajo pésimo, dependiente, indigno* y no digas groserías.
- Presta atención a las respuestas no verbales, como un buen contacto visual.
- Haz uso de las "afirmaciones desde el yo".
- Sé directo.
- Reduce el uso de palabras de incertidumbre.
- Apégate a los asuntos pertinentes.
- Mantén una postura compasiva y comprensiva pero firme.

Todos los pasos previos pueden resumirse en un enunciado que diga:

Entiendo/Me gusta.............; sin embargo, cuando tú................, yo me siento......... Agradecería si pudieras................

Pedir un aumento

No solo que pidas una nueva conducta puede meterte en apuros. Pedir un aumento de sueldo también lo haría. Tú sabes que has aportado valor a la compañía y sientes que tienes derecho a un aumento.

¿Cómo haces para pedir un aumento que tenga mayores posibilidades de concederse?

Investiga qué valor tienes para tu empleador.

Antes de que pidas un aumento, investiga en la compañía. Evalúa tu valor. Estudia las ganancias que has hecho, aún más las pérdidas en las que hayas podido incurrir. Si es posible que investigues en tu departamento, calcula tu productividad actual y contrástala contra la de tu predecesor. Por ejemplo, si trabajas en servicio al cliente, ¿has sido capaz de incrementar la satisfacción de la clientela?

Compara tu valor con el de la competencia.

Investiga en línea cuál es tu valor de mercado o cuánto te ofrecería la competencia. Si no estás ganando lo que ganarías en otras compañías u organizaciones, esto te dará una ventaja en la negociación del aumento.

Organiza una reunión con tu jefe.

Establece una fecha y hora para hablar del aumento con tu jefe. No le digas que eso es lo que harás; más bien, comunícale que tienes algo importante de qué hablarle y que te gustaría que se reunieran para hacerlo.

Antes de la reunión, escribe las razones concretas por las que te mereces un aumento y ensaya a decirlas con confianza y de manera convincente. Ya en la reunión, menciónale los datos que has investigado con anterioridad antes de pedirle el aumento.

Si durante la charla tu jefe contesta llamadas o actúa como si quisiera que te dieras prisa, pídele que reprograme a otra ocasión en la que puedas contar con su atención ininterrumpida.

No supliques, exijas o amenaces con renunciar.

No le supliques el aumento ni lo amenaces con que renunciarás. Puede salirte el tiro por la culata en el sentido de que tu jefe podría empezar a sentir animosidad contra ti.

Declara tus deseos.

Especifica la cantidad particular que te gustaría recibir. Sé razonable y no conservador. Después, auméntala por la mitad para que cuentes con un margen de negociación.

Negocia tu aumento.

Si tu jefe está de acuerdo con el aumento, pero sugiere una cantidad menor a la que has mencionado, haz una contraoferta con una cantidad más alta que en la mitad. Sigue negociando hasta que tú y tu jefe se pongan de acuerdo con la cantidad.

¿Y si tu jefe dice que no?

Podría ocurrir que tu jefe simplemente rechace tu solicitud de aumento. Una de las respuestas que podría darte, sería quejarse de todos los problemas que la compañía u organización está teniendo, y que por eso no es posible aumentarte ni un centavo más.

De acuerdo, entiendes los problemas de la compañía, pero tú también tienes responsabilidades financieras. Dile que no es justo que salgas perjudicado por dichos problemas, que tú estás dándole a la compañía tu mejor esfuerzo y mereces ser recompensado.

Tu jefe podría echar mano de alguna política de la empresa para no darte el aumento. Piensen juntos en alguna manera de estirar esa política o expón las razones por las que crees tú deberías ser una excepción a la regla.

No aceptes un aumento simbólico.

En lugar de un aumento en la paga, el jefe podría ofrecerte un aumento simbólico o beneficios extra tales como permiso para usar el auto de la compañía o una esquina de trabajo con ventanas. No lo tomes, pues establecerás un patrón de que estás dispuesto a aceptar cualquier cosa en lugar del aumento significativo que quieres. Mejor opta por decirle que eso no te basta y reitérale tu cantidad deseada.

Acepta una promoción.

Una de las mejores maneras para tener un aumento es ganarte una promoción. Puedes hacer esto de tres maneras.

Primero, puedes ir hacia arriba al siguiente nivel. Segundo, puedes aceptar más responsabilidades. Puede que necesites librarte de las tareas de bajo perfil. Y tercero, puedes crearte un nuevo trabajo con un nuevo título.

Si piensas que la tercera opción es la mejor para ti, escribe una descripción del trabajo nuevo antes de que vayas a la reunión con tu jefe. Detalla las carencias y provee un plan para solucionarlas. Incluye cosas como las implicaciones del trabajo, los márgenes de tiempo para cumplir con las tareas, los costos y tu estimación de los beneficios. Habla con tu jefe para que te brinde su apoyo y luego dirígete a la cadena de mando para que aprueben tu propuesta.

No aceptes una promoción que no incluya un título o un aumento.

Declina inmediatamente una promoción que no ofrezca un aumento o un título nuevo. Probablemente esperarán que te hagas cargo de otras responsabilidades adicionales a tu trabajo actual. Esto no es aceptable.

Dile a tu jefe que una promoción no es una promoción si no viene acompañada de un aumento. Si te han ofrecido una nueva posición, asegúrate de que sus responsabilidades sean unas que puedas aceptar, y que conlleve un aumento apropiado a tu nuevo título.

Puntos a tener en cuenta si pides un aumento:

- Escoge el momento adecuado para tu solicitud.
- Prueba a hacerlo después de un gran logro.
- No des un ultimátum.
- Evita proporcionar demasiada información personal.

Preguntas asertivas para obtener información

Cuando intentas obtener información de tus clientes, amigos o familiares, la extensión de la pregunta y su formato determinan su coeficiente de asertividad.

Las preguntas más largas, hechas con intención o en un contexto particular, pueden hacer que los prospectos se sientan presionados a responder de una manera determinada. Ir al grano, por otro lado, es más asertivo.

Consejos para hacer preguntas asertivas.

Déjate afuera de la cuestión.

Elimina al respecto de las cosas que quieres saber, los pronombres personales de la primera persona. La persona asertiva pregunta lo que quiere y espera por la respuesta.

No indiques a tu prospecto que te disgustan sus respuestas.

Acéptalas y pregunta si hay algo que pueden lograr en conjunto.

Elige tus verbos con cuidado.

Decirle a tu prospecto "me gustaría conocer a tu jefe", es agresivo y no es una pregunta. Si quieres conocer a su director/directora, di: "Me encantaría tener la oportunidad de explicarle los beneficios de nuestro producto a tu jefe. ¿Sería posible que pudiéramos reunirnos?"

Siempre es mejor que te apegues a las preguntas breves, y omitas la explicación audaz.

Tarea para ti

1. ¿Qué te impide pedirles a otros lo que quieres?
2. ¿De verdad sientes que mereces un aumento de paga? Si es así, ¿por qué todavía no lo has pedido?
3. ¿Estás haciéndoles a tus clientes las preguntas correctas en el momento adecuado a tus clientes?

Resumen de capíltulo

- Darle demasiadas vueltas a lo que otros opinarán de nosotros nos impide que les pidamos lo que queremos.
- Antes de pedirles a otros que modifiquen su comportamiento, establece la empatía y el respeto hacia ellos. Afirma tus sentimientos positivos, después prosigue a abordar el problema y, por último, la meta o tu solicitud para una nueva conducta.
- Cuando solicites un aumento o promoción a tu jefe, investiga y anota primero los hechos que te vuelvan merecedor de ello. Programa una reunión directa con él/ella y hazle conocer todos esos hechos antes de pedirle el aumento. Nunca supliques o amenaces con renunciar. Expón claramente lo que deseas.
- Con tus clientes, nunca les hagas preguntas que sean extensas o que los presionen a responder de determinada manera. Pregunta lo que quieres saber y espera por la respuesta. Nunca des explicaciones por adelantado.

En el próximo capítulo aprenderás:

- Cómo practicar la asertividad en tu vida diaria.
- Cómo ser asertivo en el trabajo.
- Cómo practicar la asertividad en las relaciones familiares y de pareja.
- Cómo alzar la voz para hablar por ti.

CAPÍTULO NUEVE:

Asertividad en la vida cotidiana

Asertividad en la vida diaria

Todos quieren tener más confianza pero no todos saben ser asertivos. Si aprendes a ser asertivo, podrás expresarte con facilidad y tendrás mejores posibilidades de obtener lo que quieres.

Aquí tienes siete sencillas formas de volverte asertivo:

1. Comprende que ser asertivo es una destreza
2. Respeta a las personas con las que te comuniques. Presta la misma atención a tu lenguaje corporal y a tus palabras, y asegúrate de que son congruentes entre sí.
3. Comprende y acepta la diferencia entre tu punto de vista y el ajeno.
4. Habla de tal forma que no acuses ni hagas sentir culpable a la otra persona. Sé sencillo, directo y conciso, afirma aquello que es verdadero para ti.
5. Usa las "afirmaciones desde el yo" para que no parezcas una persona hostil en lugar de asertiva.
6. Mantén la calma cuando te expreses.
7. Establece límites que ayuden a decidirte por aquello que permitirás y que no permitirás.

Si te enfrentas a una exigencia, considera lo siguiente:

121

Todos, incluido tú, tienen el derecho de negarse a las demandas. Tienes derecho a decir "no" sin justificación alguna.

A la hora de declinar un requerimiento, explica que estás rechazando la petición, no a la persona.

Hecho eso, apégate a tu decisión. Si te derrumbas bajo la presión los otros pensarán que eres fácil de influenciar. No obstante, tienes derecho a cambiar de opinión si la situación cambia.

Cuando recibas críticas:

- Concédete un espacio para decidir si es una crítica genuina o, si en realidad hay algo más.
- Aunque te sea difícil, reconoce y acepta cualquier elemento verídico en la crítica.
- No arremetas de vuelta con tu propia crítica.
- Evita criticar a otros. En lugar de eso, dales retroalimentación constructiva negativa para que modifiquen su conducta.
- Cuando des esta retroalimentación, enfócate en el problema o la situación, más que en la persona.

Hacer un cumplido es otra manera positiva de dar apoyo, mostrar aprobación e incrementar la confianza de la otra persona. Por desgracia, la gente percibe y siente que hacer cumplidos es algo embarazoso o complicado.

Si alguien te halaga, acepta y agradece a la persona independientemente de si estás de acuerdo o no con sus palabras. Cuando hagas un cumplido, asegúrate de que sea auténtico.

Asertividad en el trabajo

Para poner en práctica la asertividad en el trabajo, sigue estos pasos:

Reconoce tu valía. Cultiva una perspectiva realista y respetuosa de tu valor como persona.

Conoce tus derechos en el lugar de trabajo. Los avisos, el manual de políticas del empleado, la descripción de tu puesto, etc.

Conoce tus límites Así te evitarás el estrés y la frustración.

Prepárate y practica.

Practica a ser asertivo con los más cercanos a ti. Imagina cómo sería comunicarle algo complejo a tu colega o a tu jefe. Pregúntate:

¿Cuál es mi meta? ¿Qué y cómo me gustaría decirlo?

Dramatiza en tu mente el desarrollo del mejor y peor escenario posible. Si no lo haces y te llega el momento de la verdad, los nervios harán que te quedes mudo y tendrás la idea de que es más sencillo rendirte.

Evita el uso de expresiones como "mmmmm", "eh", "sabes...", "bueno...", etc., porque hacen que tus palabras suenen poco sofisticadas, vacilantes o indecisas.

Modula en volumen de tu voz.

Evita el uso de un lenguaje degradante.

Ahora practiquemos estos pasos en algunas situaciones en el lugar de trabajo.

Situación #1: Hacer que el equipo trabaje en tu idea de propuesta.

Tu equipo está a cargo de lanzar una nueva campaña de publicidad y tú tienes una idea fantástica, así que estás muy emocionado por darla a conocer y organizas una junta para planear el inicio de la campaña.

- **Enfoque pasivo:** Esperas a que el jefe haga la primera sugerencia. Luego asientes pasivamente a todo lo que dice en lugar de proponer tu idea, o de atreverte a sugerir maneras de mejorar su estrategia.
- **Enfoque agresivo:** Impones de inmediato tu idea "perfecta" a tus compañeros de equipo y ni lento ni perezoso comienzas a

asignar las tareas. Si alguien sugiere una alternativa a tu idea, la rechazas.

- **Enfoque asertivo:** Presentas tu idea y aceptas sugerencias de todos tus compañeros de equipo. Al irlas escuchando, reconoces sus puntos fuertes y el papel que juegan para la solución de retos potenciales.

Con el enfoque asertivo, declaras tu caso de una forma que reconoce las perspectivas de otros y respaldas tus ideas con razonamientos reales, en lugar de hacerlo con las emociones. Contribuyes exitosamente con un valor a la conversación, pero no a costa de la degradación de tus compañeros de equipo.

Situación #2: Has pedido un aumento pero tu jefa no está trabajando en ello.

Tras pedir un aumento en una reunión con tu jefa, ella dice que tendrás que esperar otros seis meses pues la compañía no tiene las posibilidades de dártelo en este momento. Te asegura que serás tomado en consideración cuando llegue el momento.

- **Enfoque pasivo:** Te tragas tu decepción y estás de acuerdo con ella en la oficina. Más tarde, cuando llegas a casa, te quejas durante horas porque sientes que es completamente injusto.
- **Enfoque agresivo:** Le informas a tu jefa que empezarás a buscar oportunidades en otras compañías donde te tratarán como mereces.
- **Enfoque asertivo:** Te respetas a ti mismo y a tu necesidad de ser recompensando, pero también atiendes a los razonamientos de tu jefa. Así que le pides más información al respecto del futuro de la compañía, y determinas objetivos y metas que puedas repasar cuando revisen en el futuro tu petición de aumento de salario.

Asertividad en las relaciones familiares y de pareja

Establecer una comunicación asertiva con tu familia es más sencillo y te brinda los siguientes beneficios:

- Mejora tu salud emocional y mental.
- Mejora tus destrezas personales y sociales.
- Te proporciona un mayor entendimiento y control de tus emociones.
- Mejora tu autoestima y tus habilidades para la toma de decisiones.
- Te conduce al amor propio y a ganarte el respeto de los demás.

Estas son algunas maneras de fomentar la comunicación asertiva con tu familia:

Evita las comparaciones.

Los padres deberían disuadirse de comparar a sus hijos entre sí. Por ejemplo: "John, no terminaste tu tarea. Deberías de ser más como Harry que termina con sus deberes antes de irse a jugar".

La comparación genera inseguridad, sentimientos de inferioridad, resentimiento y competencias poco sanas entre los hijos.

Sé empático.

Una comunicación asertiva comienza por el respeto a otros. Si todos los miembros de la familia comprenden cómo se sienten y piensan todos, será más sencillo que practiquen el diálogo saludable.

Pide opiniones.

Deja que tus hijos participen y tengan voz en la toma de decisiones que los afecten a ellos y a toda la familia. Esto incentiva su confianza y los hace sentir que sus opiniones son importantes.

Exprésate.

Para que los hijos te expresen a ti sus pensamientos y sentimientos debes ponerles el ejemplo. Cuéntales acerca de tu día, de tus asuntos e intereses. Escucha atentamente cuando quieran compartirte algo. Dales consejos si es necesario, en lugar de juzgarlos y regañarlos. Nunca los castigues por decirte la verdad.

¡Ponte de pie y alza la voz!

Cada día tomas muchas y pequeñas decisiones. A veces es sencillo hacer valer tus ideas mientras que, en otras ocasiones, dejarte llevar para evitar el conflicto parece la mejor opción.

No obstante, si dejas que la gente pase por encima de ti, esto puede incrementar la intensidad de tu estrés y ansiedad e incluso, eventualmente, disminuir tu percepción de tu valor como persona.

Que aprendas a hablar por ti mismo te ayudará a tener el control de tu vida, a creer en tu poder y a llenarte de valor para alcanzar tus sueños.

Usa estos simples, pero poderosos pasos, para defenderte a ti mismo en cualquier situación.

Practica a ser transparente y auténtico.

Se lleva su tiempo pero, si aprendes a expresarte de manera abierta y honesta, volverás un hábito el hacer que los demás te escuchen.

Avanza pasos cortos pero significativos.

Comienza con pequeños pasos. Caminar con confianza – barbilla en alto y sacando pecho – te ayudará a que parezcas más seguro de ti. Proyecta esta confianza en tus interacciones cotidianas. ¿Alguien te empujó fuera de la línea en el metro? Pídele educadamente que retroceda.

Cuando alguien te ataque, espera pacientemente a que termine.

A veces te cruzarás con personas que tratarán de pisotearte. Quédate tranquilo pero permanece asertivo si alguien intenta intimidarte. No les des lo que quieren, pero tampoco reacciones con agresiones.

Comprende qué es lo que te molesta.

Hace falta ser muy valiente para enfrentar algo o a alguien que te está molestando. Pero si lo haces, te permite mejorar la situación y disminuyes el control de esta sobre ti. Las personas no son adivinas; tienes que poner en palabras lo que te preocupa.

Acláralo antes de que ataques.

Es muy tentador el adoptar una posición de superioridad moral, especialmente cuando la persona parece estar completamente equivocada. Pero resístete a dejarte llevar por las emociones. Mejor respira hondo y exprésale con calma tu perspectiva. Evita los tonos belicosos o las palabras acusatorias.

Práctica, práctica y más práctica.

Una vez que le agarres el truco a la asertividad, practícala en situaciones en las que necesites pararte por ti mismo.

Sé deliberado al expresar tus asuntos.

Defiende tu tiempo. Aplaza cuando sea necesario o desvincúlate respetuosamente de personas o situaciones que consuman demasiado tu tiempo.

Recuerda que nadie puede invalidar tus sentimientos, pensamientos y opiniones. Aprender a pararte y hablar por ti mismo no sucederá de la noche a la mañana, se lleva su tiempo que te sientas cómodo siendo asertivo. En esta etapa de aprendizaje, imagina que eres un actor con un nuevo personaje. Imagina que eres la persona más asertiva que conoces. Así que, ¿cómo te conducirás en las situaciones complicadas?

Entonces, ¿qué hay de ti?

1. ¿Entiendes ahora qué es la asertividad?
2. ¿Tienes la confianza para decir no? ¿Para expresarte? ¿Para pedir lo que quieres?
3. ¿Ya te sientes mejor preparado ahora para defenderte y hablar por ti mismo?

Resumen del capítulo

- La asertividad es una destreza que puede ser aprendida y practicada.
- Sé respetuoso con aquellos con los que te comuniques. Comprende y acepta las diferencias entre tu punto de vista y el ajeno. Mantén la calma cuando te expreses. Haz uso de las "afirmaciones desde el yo" para ser asertivo sin ser hostil.
- Pon tus límites.
- Reconoce tu valor, conoce tus derechos en el lugar de trabajo, habla con un lenguaje claro y directo y evita el uso de palabras degradantes.
- Para la asertividad en las relaciones familiares y de pareja, exprésate, pide la opinión de los demás y practica la empatía.

Avanza a pasos cortos pero significativos en tu aprendizaje para defenderte y hablar por ti mismo.

PALABRAS FINALES

El éxito en el trabajo y las relaciones depende de tu comunicación. Tu estilo de comunicación debería ser uno que te permita expresarte, pedir y recibir lo que quieres en la vida.

Existen tres estilos de comunicación – pasivo, agresivo y asertivo. Pero sólo el estilo asertivo te permite que seas un triunfador en la vida. La comunicación pasiva te vuelve débil, sumiso y permite que otros se aprovechen de ti. El estilo agresivo, por otra parte, hace que resultes dominante, arrogante e indiferente a los sentimientos, pensamientos y opiniones ajenas.

La comunicación asertiva es la única que mantiene en perfecto equilibrio tus intereses y los de los demás. No consideras que tus propios sentimientos y pensamientos sean superiores a los ajenos, ni tampoco cedes innecesariamente a sus perspectivas y exigencias. Ambos son de igual valor para ti.

Usando un estilo de comunicación asertiva en tu día a día, mejorarás tu autoestima, te sentirás más confiado, tomarás mejores decisiones, te respetarás y ganarás también el respeto de los demás. Tú puedes establecer relaciones sanas y duraderas en el trabajo, con amigos y familiares.

Sin embargo, nuestros miedos y supuestos son un obstáculo para el aprendizaje y la práctica de la comunicación asertiva. Creemos que la asertividad nos meterá en un conflicto con nuestros seres queridos, colegas y compañeros, y que hará que perdamos su amor y apreciación. Pero en realidad, es todo lo contrario. Ganarás más respeto de los demás cuando te respetes y hables por ti mismo, cuando lo hagas por tu derechos, pensamientos, sentimientos y opiniones.

Ten curiosidad por aprender cosas nuevas y sé abierto a las nuevas experiencias en la vida. Procura prestar atención a cómo te presentas a ti mismo a otros. El cómo hablas, tu tono, tu ropa e incluso tu lenguaje corporal. Este tipo de lenguaje habla mucho de tu nivel de confianza, y es un aspecto importante del que hay que estar pendientes en la comunicación asertiva.

Lo primero que hay que hacer para adquirir la destreza en la comunicación asertiva, es formarse una autoimagen positiva. Ten una perspectiva racional y positiva de tus habilidades, destrezas y fortalezas. Esto hará que te empoderes; que cuentes con la fuerza necesaria para establecer metas significativas en tu vida y para prepararte a alcanzarlas. Eres único y tu contribución a este mundo también lo es. Nadie más puede hacerlo como tú lo haces. Pero, para que te des cuenta de este poder tuyo, necesitas pensar en positivo sobre ti mismo.

Al aprender el estilo de comunicación asertiva, obtendrás las siguientes cualidades:

- Expresarás tus necesidades con franqueza, directamente y sin sentirte culpable.
- Defenderás tus derechos y de los demás.
- Transmitirás con confianza tus sentimientos a los demás.
- Independencia y autonomía.
- Persistencia en situaciones complejas.
- Buenas capacidades analíticas.
- Una actitud positiva en todo momento.
- Sentirte orgulloso de tus logros.
- Tener la valentía para soñar y para desarrollar las destrezas necesarias para volver realidad esos sueños.

Para vivirte en este estilo de comunicación, debes de estar al corriente de lo que deseas, debes de pedirlo y, finalmente, obtenerlo. Es así de sencillo.

La comunicación asertiva implica tres elementos:

1. Decir "no" de la manera correcta en el tiempo correcto. Se trata de ponerte límites saludables, y de hacerles saber a los demás

qué es lo que no aceptarás y sí aceptarás; ya sea en el comportamiento o en sus exigencias. Poner límites, ya sea en el ámbito de los negocios, el trabajo o las relaciones personales, es crucial para que conserves tu energía emocional, para que crezcas, para que mejores tu autoestima y tus relaciones, y para que no dejes que otros te manipulen. No solo pones tus límites, sino que honras los ajenos si ellos también los han puesto.

2. Expresar con claridad y confianza cómo te sientes sobre ti mismo y sobre los comportamientos de los demás. Te haces completamente responsable de tus sentimientos y no acusas o echas la culpa a nadie. Haces contacto visual directo, haces uso de las "afirmaciones desde el yo", de una voz calmada y de un tono firme para expresar tu mensaje a los demás.

3. Pides lo que necesitas a los demás, sin perder la dignidad y siendo empático y respetuoso de sus necesidades, sentimientos y opiniones.

¿Sabes cuál es la mejor parte?

Que puedes usar la comunicación asertiva en tu vida cotidiana; en en el trabajo, con tu familia, en tus relaciones. Si deseas tener éxito en la vida, tener relaciones sanas o ganarte el respeto de otros, aprende a ser asertivo. Esta es una destreza que puede convertirte en un triunfador.

Te he perfilado los pasos exactos que necesitas seguir para aprender la destreza de la comunicación asertiva, y cómo es que debes aplicarlos en tu vida. Así que, pon manos a la obra y crea la vida de tus sueños.

BIBLIOGRAFÍA

(s.f.) *Asertiveness* | Psychology Today. Recuperado el 20 de noviembre de 2019, de https://www.psychologytoday.com/us/basics/assertiveness

Thackray, V. (11 de noviembre de 2016). *7 revealing facts about the psychology of assertiveness* - PostiveChangeGuru.com. Recuperado el 20 de noviembre de 2019, de https://positivechangeguru.com/psychologists-assertive-you/

(s.f.) *Choosing Your Communication Style* | UMatter. Recuperado el 20 de noviembre de 2019, de https://umatter.princeton.edu/respect/tools/communication-styles

(s.f.) *The 4-Types of Communication Styles.* Recuperado el 20 de noviembre de 2019, de https://www.linkedin.com/pulse/20140626185020-15628411-the-4-types-of-communication-styles

Liyanage, S. (21 de julio de 2015). *Assertive Communication.* Recuperado el 20 de noviembre de 2019, de https://www.slideshare.net/SamithaLiyanage1/assertive-communication-50744208

(s.f.) *10 Benefits of Being More Assertive.* Recuperado el 20 de noviembre de 2019, de http://www.magforliving.com/10-benefits-of-being-more-assertive/

(s.f.) *9 Advantages of Assertiveness.* Recuperado el 20 de noviembre de 2019, de https://threeinsights.net/book/9-advantages-of-assertiveness/

Kumar, D. (18 de julio de 2014). *The Importance of Being Assertive in the Workplace.* Recuperado el 20 de noviembre de 2019, de https://www.careeraddict.com/the-importance-of-being-assertive-in-the-workplace

(s.f.) *The Importance of Assertive Leadership.* Recuperado el 20 de noviembre de 2019, de http://www.leadershipexpert.co.uk/importance-assertive-leadership.html

(s.f.) 2011-2019, C. Skillsyouneed. C. *Why People Are Not Assertive* | SkillsYouNeed. Recuperado el 20 de noviembre de 2019, de https://www.skillsyouneed.com/ps/assertiveness2.html

(16 de noviembre de 2018) *Three Barriers that Would Stop You from Being Assertive.* Recuperado el 20 de noviembre de 2019, de http://compasscenterforleadership.com/three-barriers-that-would-stop-you-from-being-assertive/

(s.f.) *Metaperceptions: How Do You See Yourself?* Recuperado el 20 de noviembre de 2019, de https://www.psychologytoday.com/us/articles/200505/metaperceptions-how-do-you-see-yourself

Chan, D. (16 de abril de 2016). *Learning to see things from another's perspective, Opinion News & Top*. Recuperado el 20 de noviembre de 2019, de https://www.straitstimes.com/opinion/learning-to-see-things-from-anothers-perspective

(s.f.) *How to Be Yourself and Cultivate a Positive Self-Image*. Recuperado el 20 de noviembre de 2019, de https://www.developgoodhabits.com/positive-self-image/

(s.f.) *Self-Image - how you see yourself positive or negative*. Recuperado el 20 de noviembre de 2019, de http://destinysodyssey.com/personal-development/self-development-2/self-concepts-self-constructs/self-image/

(s.f.) 2011-2019, C. Skillsyouneed. C. *Personal Empowerment | SkillsYouNeed*. Recuperado el 20 de noviembre de 2019, de https://www.skillsyouneed.com/ps/personal-empowerment.html

Campbell, S. (31 de enero de 2017). *8 Steps to Personal Empowerment*. Recuperado el 20 de noviembre de 2019, de https://www.entrepreneur.com/article/288340

(s.f.) *What Is Personal Empowerment?: Taking Charge of Your Life and Career*. Recuperado el 20 de noviembre de 2019, de https://www.mindtools.com/pages/article/personal-empowerment.htm

(s.f.) *Assertiveness Training: Empowerment - Empowered Life Solutions*. Recuperado el 20 de noviembre de 2019, de http://empoweredlifesolutions.com/healthy-living/assertiveness-training-empowerment/

Marsden, L. (13 de mayo de 2014). *4 Tips to be Assertive and Empower Your Life - Laurie Marsden*. Recuperado el 20 de noviembre de 2019, de https://lauriemarsden.com/4-tips-assertive-empower-life/

(s.f.) *How to be a lion: 7 steps for asserting yourself positively*. Recuperado el 20 de noviembre de 2019, de https://www.positivelypresent.com/2010/05/how-to-be-a-lion.html

Tartakovsky, M. M. S. (8 de julio de 2018). *Assertiveness: The Art of Respecting Your Needs While Also Respecting Others' Needs*. Recuperado el 20 de noviembre de 2019, de https://psychcentral.com/blog/assertiveness-the-art-of-respecting-your-needs-while-also-respecting-others-needs/

Session One: Honesty/Straightforwardness. Recuperado de https://www.pennstatehershey.org/documents/1803194/10660403/OAW+Assertiveness+Training+1.pdf/9f8788f4-219d-4fc1-a034-24551034d840

Kass, A. (s.f.). *Three Keys to Assertive Behavior*. Recuperado el 20 de noviembre de 2019, de https://www.gosmartlife.com/marriage-intelligence-blog/bid/148841/three-keys-to-assertive-behavior

Leinwand, L. (10 de noviembre de 2016). *Why Is Saying 'No' So Important?* Recuperado el 20 de noviembre de 2019, de https://www.goodtherapy.org/blog/why-is-saying-no-so-important-1110165

Doherty, Y. (7 de noviembre de 2014). *10 Reasons You Should Speak Up And Never Regret Saying How You Feel*. Recuperado el 20 de noviembre de 2019, de https://www.elitedaily.com/life/culture/speak-dont-regret-saying-feel/823735

Ramey, S. (22 de septiembre de 2016). *Assertive Communication: Express What You Feel Without...* Recuperado el 20 de noviembre de 2019, de https://exploringyourmind.com/assertive-communication-express-feel-without-guilt/

How to be less emotional reactive. (2 de octubre de 2019). Recuperado el 20 de noviembre de 2019, de https://cassdunn.com/how-to-be-assertive/

Louise, E. (19 de febrero de 2019). *Here's How to Ask For Help Courageously and Assertively! [2 Step Process]* | The Launchpad - The Coaching Tools Company Blog. Recuperado el 20 de noviembre de 2019, de https://www.thecoachingtoolscompany.com/how-to-be-more-assertive-ask-for-help/

(s.f.) *Why Is It Hard to Say "No" and How Can You Get Better at It?* Recuperado el 20 de noviembre de 2019, de https://www.psychologytoday.com/us/blog/the-couch/201601/why-is-it-hard-say-no-and-how-can-you-get-better-it

(s.f.) *Be More Effective - 12 Reasons Why It's So Hard to Say, "No."* Recuperado el 20 de noviembre de 2019, de https://www.bemoreeffective.com/blog/12-reasons-why-its-so-hard-to-say-no/

Assert Yourself! Recuperado de https://www.cci.health.wa.gov.au/~/media/CCI/Consumer%20Modules/Assert%20Yourself/Assert%20Yourself%20-%2006%20-%20How%20to%20Say%20No%20Assertively.pdf

Dondas, C. (16 de junio de 2019). *7 Tips on How to Say NO in an Assertive Way...* Recuperado el 20 de noviembre de 2019, de https://lifestyle.allwomenstalk.com/tips-on-how-to-say-no-in-an-assertive-way/

Wilding, M. L. (8 de julio de 2018). *3 Ways to Say No and Be More Assertive in Business.* Recuperado el 20 de noviembre de 2019, de https://psychcentral.com/blog/3-ways-to-say-no-and-be-more-assertive-in-business/

Chesak, J. (11 de diciembre de 2018). *The No BS Guide to Protecting Your Emotional Space.* Recuperado el 20 de noviembre de 2019, de https://www.healthline.com/health/mental-health/set-boundaries#how-to-define-your-boundaries

Lancer, D. L. (11 de mayo de 2019). *10 Reasons Why Boundaries Don't Work.* Recuperado el 20 de noviembre de 2019, de https://www.whatiscodependency.com/setting-boundaries-limits-codependency/

Lancer, D. L. (9 de septiembre de 2019). *The Power of Personal Boundaries.* Recuperado el 20 de noviembre de 2019, de https://www.whatiscodependency.com/the-power-of-personal-boundaries/

mindbodygreen. (4 de septiembre de 2019). *6 Steps To Setting Good Boundaries.* Recuperado el 20 de noviembre de 2019, de https://www.mindbodygreen.com/0-13176/6-steps-to-set-good-boundaries.html

5 Golden Keys to Assertiveness and Setting Boundaries | Hypnosis Downloads. (1 de Agosto de 2019). Recuperado el 20 de noviembre de 2019, de https://www.hypnosisdownloads.com/blog/5-golden-keys-to-assertiveness-and-setting-boundaries

Grohol, J. Psy. D. M. (8 de noviembre de 2018). *10 Reasons You Can't Say How You Feel*. Recuperado el 20 de noviembre de 2019, de https://psychcentral.com/lib/10-reasons-you-cant-say-how-you-feel/

Bennett, T. (13 de marzo de 2018). *Why Is It So Hard to Express My Emotions?* - Thriveworks. Recuperado el 20 de noviembre de 2019, de https://thriveworks.com/blog/hard-express-emotions/

(s.f.) Assertiveness. Recuperado el 20 de noviembre de 2019, de https://www.emotionalintelligenceatwork.com/resources/assertiveness/

admin. (20 de noviembre de 2019). *The difference between confidence and assertiveness*. Recuperado el 20 de noviembre de 2019, de http://buildyp.blogspot.com/2012/05/difference-between-confidence-and.html?m=1

(31 de enero de 2018) *A Simple Way to Be More Assertive (Without Being Pushy)*. Recuperado el 20 de noviembre de 2019, de https://hbr.org/2017/08/a-simple-way-to-be-more-assertive-without-being-pushy

Sheffield, T. (6 de noviembre de 2015). *How To Ask For What You Want & Be More Assertive*. Recuperado el 20 de noviembre de 2019, de https://www.bustle.com/articles/122147-how-to-ask-for-what-you-want-be-more-assertive

(s.f.) *Assertive Requests: Be more persuasive and diplomatic*. Recuperado el 20 de noviembre de 2019, de http://web.csulb.edu/%7Etstevens/assert%20req.html

(s.f.) *Foolproof Ways to Use Assertiveness to Request a Raise*. Recuperado el 20 de noviembre de 2019, de https://www.selfgrowth.com/articles/foolproof-ways-to-use-assertiveness-to-request-a-raise

Hoffman, J. (s.f.). *The Secret to Asking Sales Questions Assertively, Not Aggressively*. Recuperado el 20 de noviembre de 2019, de https://blog.hubspot.com/sales/asking-sales-questions-assertively-not-aggressively

Daskal, L. (20 de junio de 2018). *7 Powerful Habits That Make You More Assertive*. Recuperado el 20 de noviembre de 2019, de https://www.inc.com/lolly-daskal/7-powerful-habits-that-make-you-more-assertive.html

(s.f.) 2011-2019, C. Skillsyouneed. C. *Assertiveness in Specific Situations | SkillsYouNeed*. Recuperado el 20 de noviembre de 2019, de https://www.skillsyouneed.com/ps/assertiveness-demands-criticism-compliments.html

Sese, C. (19 de abril de 2018). *6 Tips for Being More Assertive at Work*. Recuperado el 20 de noviembre de 2019, de https://www.goodtherapy.org/blog/6-tips-for-being-more-assertive-at-work-0113155

(20 de junio de 2013) *How to Be Assertive and Get What You Want at Work*. Recuperado el 20 de noviembre de 2019, de https://money.usnews.com/money/blogs/outside-voices-careers/2013/06/20/how-to-be-assertive-and-get-what-you-want-at-work

Wilding, M. (5 de junio de 2019). *How to Be More Assertive at Work (Without Being a Jerk)*. Recuperado el 20 de noviembre de 2019, de https://www.themuse.com/advice/how-to-be-more-assertive-at-work-without-being-a-jerk

Lica, A. (18 de Agosto de 2019). *Assertive Communication with Your...* Recuperado el 20 de noviembre de 2019, de https://exploringyourmind.com/assertive-communication-with-your-family/

(s.f.) *Becoming Assertive? 4 Reasons Your Family Won't Like It.* Recuperado el 20 de noviembre de 2019, de https://www.arenewedlife.com/becoming-assertive-4-reasons-family-wont-like/

(s.f.) *Are You Too Nice? 7 Ways to Gain Appreciation & Respect.* Recuperado el 20 de noviembre de 2019, de https://www.psychologytoday.com/us/blog/communication-success/201309/are-you-too-nice-7-ways-gain-appreciation-respect

Hutchison, M. (6 de Agosto de 2015). *6 Assertive Ways To Get The Respect You DESERVE.* Recuperado el 20 de noviembre de 2019, de https://www.yourtango.com/experts/moira-hutchison/how-gain-respect-others

Patel, D. (9 de noviembre de 2018). *10 Powerful Ways to Stand Up for Yourself in Any Situation.* Recuperado el 20 de noviembre de 2019, de https://www.success.com/10-powerful-ways-to-stand-up-for-yourself-in-any-situation/

Steber, C. (12 de junio de 2019). *11 Little Ways To Stand Up For Yourself Every Day, No Matter What.* Recuperado el 20 de noviembre de 2019, de https://www.bustle.com/articles/169607-11-little-ways-to-stand-up-for-yourself-every-day-no-matter-what

(s.f.) *How to Speak Up for Yourself with Wisdom and Courage.* Recuperado el 20 de noviembre de 2019, de https://www.psychologytoday.com/us/blog/prescriptions-life/201809/how-speak-yourself-wisdom-and-courage

Galinsky, A. (17 de febrero de 2017). *How to speak up for yourself.* Recuperado el 20 de noviembre de 2019, de https://ideas.ted.com/how-to-speak-up-for-yourself/

¡TU REGALO GRATIS ESTÁ AQUÍ!

Gracias por comprar este libro. Como un obsequio y suplemento para potenciar tus nuevos aprendizajes y tu viaje de desarrollo personal, recibirás este folleto de regalo y es completamente gratuito.

El regalo incluye- como ya lo anuncié en este libro- un valioso recurso de prácticas ideas y sencilla composición que te ayudará a que domines tu propia rutina de calma y seguridad para tu día a día.

El folleto te proveerá de poderosos conocimiento sobre:

- Cómo formar hábitos empoderadores que cambiarán tu vida.
- Cómo direccionar tu propio Poder de 3.
- Las 3 cosas que necesitas para cambiar cómo te sientes contigo mismo y en tu vida.
- Cómo incentivar tu autoconocimiento y autoestima.
- Cómo crear un bucle de retroalimentación positiva diaria.

Recuerda que un único paso puede cambiar tu vida.

¿Qué pasa si puedes dar un paso adelante cada día, en la dirección en la que quieres ir?

Puedes obtener tu folleto extra de esta manera:

Para acceder a la página de descarga secreta, abre una página de navegador en tu computador o teléfono inteligente, y entra a **bonus.gerardshaw.com**

Serás automáticamente dirigido a la página de descarga.

Por favor ten en cuenta que este folleto sólo estará disponible para descarga por un tiempo limitado.

¡No te lo pierdas! Haz clic en este mismo momento y descárgalo hoy mismo.

CPSIA information can be obtained
at www.ICGtesting.com
Printed in the USA
BVHW041221250521
608097BV00002BA/547